JN118060

クラムボンは
かぷかぷ
わらったよ

宮澤賢治
おはなし30選

澤口たまみ

岩手日報社

目次

第三章　どうぶつ……93

第四章　しぜん……135

まえがき

ひとはなぜ、文章を書くのでしょう。答えはたくさんありますが、人生には、忘れたくない瞬間が存在するのは確かです。

時間は、わたしたちの傍らをするすると流れてゆき、決して止まることはありません。「ときぐすり」という言葉があるように、どんなに悲しくとも、いつかは時間が忘れさせてくれます。と同時に、楽しかったことも嬉しかったことも、その瞬間が過ぎ去ったとたんに、記憶が薄らぎ始めます。

書くことは、薄れゆく記憶を留めるための、最も手軽で確実な方法です。言葉には、忘れたくない思いを、そっと保っておく力があるのです。文を読み、そこに保たれた思いを受けとるのは、年月を経たあとの自分かも知れませんし、楽しく嬉しい時間を共有したかつての友人かも知れません。言葉に託した思いは、会ったこともない未来の誰かにだって届けられます。

いっぽう悲しいことでも、文に書いてしまうと不思議と少し楽になります。文章は、まるで気持ちを入れておく箱のようです。ひとには誰しも、悲しくても忘れられない、忘れてはいけない出来事があるのでしょう。けれど、それはしばしば、忘れなければこころが壊れてしまいそうなほど悲しいのです。そんなときは、前を向いて笑うために、文に気持ちを預けておいてもよいのです。

賢治の作品を読んでいると、気持ちがふわりと立ち上がってくるのを感じるときがあります。多くの作品は賢治にとって、そのときどきの気持ちを預けておくための、たいせつな箱だったように思います。この本で紹介するおはなしに託された賢治の思いは、仏教の教えだったり、自然やいのちの尊(とうと)さであったり、はじめから、たくさんのひとに伝えることを目的としているものもあります。

その反面、「誰にも分らなくてもいいから、とにかく書き残しておきたい」という強い気持ちを伴っているものもあります。そんな気持ちのひとつが、恋でした。賢治の生きた大正から昭和にかけて、自由な恋愛は一般的でなく、多くのひとが、親の決めた相手と顔も見ずに結婚していました。ですから賢治の恋も、大っぴらに語られることはありませんでした。それどころか、賢治はこれまで、恋とは縁がないまま生涯を終えたとされてきました。

しかし賢治は、恋をし、それを書き残していました。この本のなかの賢治は、恋をしていた賢治です。

賢治が盛んにおはなしを書くようになったのは、この本が世に出る2021年から、ちょうど百年前の1921年のことです。賢治の言葉は、百年の時を経ても少しも古びることがありません。それは、恋のみならず、愛しいものを思う賢治の言葉が、わたしたちのこころに響くからではないかと、わたしには思われます。

さあ、それでは賢治のおはなしをご紹介しましょう。

作品は、「銀河鉄道の夜」や「風の又三郎」など、広く親しまれているものを、ひととおり収録するよう努めました。また、あまり知られていない作品の中から、皆さんにぜひ読んでいただきたいものを集めて、全30話としました。読みやすくダイジェストしたおはなしに、わたしの読み解きを添えてご案内します。

・本書でとりあげた作品は、ちくま文庫より刊行された『宮沢賢治全集』に拠(よ)り、あらすじとして読みやすいように表記を変えています。また、旧かなづかいは現代かなづかいに直しています。
・タイトルおよび解説での引用は、原典を尊重し、歴史的かなづかいを使用しています。
・宮澤賢治のおはなしについては、適宜、原典を参照ください。

イラスト――依田美智子

第一章　しょくぶつ

賢治は、文学を愛する教え子さんに「詩の作り方を教えよう」と言うと、ともに野原を歩きました。「先生の教えは、今で言う自然観察のようなものでした」。賢治のおはなしは、林や野原を歩いてもらってきたものだったのです。

おきなぐさ

うずのしゅげを知っていますか。

うずのしゅげは、植物学ではおきなぐさと呼ばれますが、この名は、あの優しい若い花を表さないように思います。そんならうずのしゅげとは何のことかと言われても、私には分かったような分からないような気がします。

それはたとえば、私どもの方でねこやなぎの花芽をべむべろと言いますが、それが何のことか分かったような分からないような気がするのと同じです。とにかくべむべろという言葉の響きの中に、あの柳の花芽の銀びろうどの心持ち、なめらかな春のはじめの光の具合が、実にはっきりと出ているように、うずのしゅげと言うときは、あのきんぽうげ科のおきなぐさの黒繻子の花びら、青白い銀びろうどの刻みのある葉、それから六月のつやつや光る冠毛が、みなはっきりと目に浮かびます。

まっ赤なアネモネの花のいとこ、きみかげそうやかたくりの花の友だち、このうずのしゅげの花を嫌いなものはありません。

この花の黒いのは、葡萄酒が黒く見えるのと同じです。この花の下を始終行ったり来たりする蟻に、私は尋ねます。「お前はうずのしゅげは好きかい、嫌いかい。」蟻は活発に答えます。「大好きです。」「けれどもあの花はまっ黒だよ。」「いいえ、黒く見えるときもそれはあります。けれどもまるで燃え上がって、まっ赤なときもあります。」「はてな、お前たちの目にはそんな具合に見えるのかい。」「いいえ、お日さまの光の降るときなら、誰にだってまっ赤に見えるだろうと思います。」「そうそう、もう分かったよ。お前たちはいつでも花を透かして見るのだから。よろしい。さよなら。気をつけておいで。」

また向こうの、黒いひのきの森の中に山男がいます。山男はなぜ、あのくろずんだ黄金(きん)の目玉を地面にじっと向けているのでしょう。あれは空き地の枯れ草の中に、一本のうずのしゅげが花をつけ、風にかすかに揺れているのを見ているからです。

私は去年のちょうど今ごろの、風のすきとおったある日の昼間を思い出します。それは小岩井(こいわい)の南、七ツ森のいちばん西のはずれの、そのまた西側でした。枯れ草の中に二本のうずのしゅげが、もうその黒い柔らかな花をつけていました。

まばゆい白い雲が小さくきれぎれになり、砕(くだ)けて乱れて、空いっぱいに東の方に飛びました。お日さまは何べんも雲に隠されて、銀の鏡(かがみ)のように白く光ったり、また輝(かがや)いて大きな宝石のように青空の淵(ふち)にかかったりしました。山脈の雪はまっ白に燃え、目の前の野原は黄色や茶の縞(しま)になって、あちこち掘り起こされた畑は、鳶色(とびいろ)の四角い布をあてたように見えたりしました。

おきなぐさは、その変幻(へんげん)の光の奇術(トリック)のなかで、夢よりも静かに話しました。

「ねえ、雲がまたお日さんにかかるよ。そら、向こうの畑がもう陰になった。」「走ってくる、早いねえ。もうから松も暗くなった。」「来た、来た。おお暗い。急にあたりが青くしんとなった。」「もう出る。そら、明るくなった。」「だめだい。また来るよ。」「うん。まるで回り燈籠(どうろう)のようだねえ。」

「不思議だねえ、雲なんてどこから出てくるんだろう。西の空は青白くって光ってよく晴れてるだろう。それだのにいつまでも雲がなくならないじゃないか。」「いいや、あすこから雲が湧(わ)いてくるんだよ。そら、あすこに小さな雲きれが出たろう。きっと大きくなるよ。」「ああ、ほんとうにそうだね。大きくなったねえ。もう兎(うさぎ)くらいある。」「どんどんかけて来る。早い早い、大きくなった、白熊(しろくま)のようだ。」「またお日さんにかかる。暗くなるぜ。きれいだねえ。ああ、きれい。雲のへりがまるで虹(にじ)で飾ったようだ。」

　西の方の遠くの空で、さっきまで鳴いていたひばりが、二人の傍(そば)に下りてきました。

「今日は、風があっていけませんね。」「おや、ひばりさん。高いとこは風が強いでしょうね。」「ええ、ひどい風ですよ。大きく口を開(ひら)くと、風が僕の体を麦酒瓶(ビールびん)のようにボウと鳴らしていくくらいです。」「だけどここから見てると、ほんとうに風は面白そうですよ。僕たちも一ぺん飛んでみたいなあ。」「もう二か月お待ちなさい。嫌でも飛ばなくちゃいけません。」

　それから二か月目でした。私はもう一ぺん、そこへ寄ったのでした。

丘(おか)はすっかり緑で、ほたるかずらの花が子どもの青い瞳(ひとみ)のよう、小岩井の野原には牧草や燕麦(オート)がきんきん光り、風はもう南から吹いていました。春の二つのうずのしゅげの花は、すっかり銀毛(ぎんもう)の房(ふさ)に変わっていました。野原のポプラが葉をちらちらとひるがえし、草が青っぽい黄金に輝きますと、その二つのうずのしゅげの銀毛の房もぷるぷる震(ふる)えて、いまにも飛び立ちそうでした。ひばりが低く、丘の上を飛んできて言いました。

「今日は。どうです。もう飛ぶばかりでしょう。」「ええ、もう僕たち遠いとこへ行きますよ。どの風が僕たちを連れていくか、さっきから見ているんです。」「飛んでいくのは嫌ですか。」「何ともありません。僕たちの仕事はもう済んだんです。」

「恐かありませんか。」「いいえ、僕たちばらばらになろうたって、どこかのたまり水の上に落ちようたって、お日さんちゃんと見ていらっしゃるんですよ。」「そうです、そうです。何にも恐いことはありません。」

「ああ、僕まるで息がせいせいする。きっと今度の風だ。ひばりさん、さよなら。」「僕も、ひばりさん、さよなら。」「さよなら、お大事にお出でなさい。」

きれいなすきとおった風がやって参りました。まず向こうのポプラをひるがえし、青の燕麦に波を立て、それから丘に登ってきました。うずのしゅげは光ってまるで踊るようにふらふらして叫びました。

「さよなら、ひばりさん、さよなら、みなさん。お日さん、ありがとうございました。」

そしてちょうど星が砕けて散るときのように、体がばらばらになって、一本ずつの銀毛はまっ白に光り、羽虫のように北の方に飛んでいきました。そしてひばりは鉄砲玉のように空へ飛び上がって、鋭く短い歌をほんのちょっと歌ったのでした。

私は考えます。なぜ、ひばりはうずのしゅげの銀毛の飛んでいった北の方に飛ばなかったか、まっすぐに空の方へ飛んだか。

それは確かに二つのうずのしゅげの魂が、天の方に行ったからです。そんなら天上に行った二つの小さな魂はどうなったか。私は、それは二つの小さな変光星になったと思います。なぜなら変光星は、あるときは黒くて天文台からも見えず、あるときは蟻が言ったように赤く光って見えるからです。

「うずのしゅげを知っていますか」

という問いで始まるこのおはなしを読むと、まるで賢治先生の主催する自然観察会に参加しているような気がします。易しい言葉を使っていますが、賢治は自然観察のコツを、さりげなく散りばめているのです。

「まっ赤なアネモネの花の従兄、きみかげさうやかたくりの花のともだち」というオキナグサを紹介する一節にも、こだわりを感じます。オキナグサとアネモネは、いずれもキンポウゲ科に属しています。同じ科のなかまですから、親類で「いとこ」なのです。そしてきみかげそう、すなわちスズランと、カタクリは、１９９８年以降、遺伝子による新しい分類がなされる前は、いずれもユリ科でした。したがってキンポウゲ科のオキナグサとは親類でない、つまり「友だち」というわけです。

ここでわたしは改めて、1行目の問いかけの意味を思うのです。たとえば、「スズランを知っていますか」と尋ねたとしましょう。この問いに、「いいえ」と答えるひとは、ほぼいません。けれど、「スズランは、賢治のころはユリ科に入れられていましたが、今はアスパラガスのなかまです」などと言うと、「あら、ランじゃないの」と目を丸くする方は少なくありません。多くのひとは、スズランという「名前」を知っているだけで、スズランが何のなかまで、どのように生えているのか、詳しく見ているわけではなさそうです。

その花のことをほんとうに知ろうと思ったら、きちんと足を止めてさまざまな角度から眺めたり、季節を変えて種子になるのを見届けたりすることがたいせつですよ。賢治は、そう言っているようです。

オキナグサの咲いた野原で、賢治は這いつくばったに違いありません。なにしろオキナグサの花はうつむいていて、立ったままでは後ろ向きの頭のてっぺんしか見せてくれないのです。その顔を見るには、目線を地面すれすれまで低くしなければなりません。

するとどうでしょう。上から見下ろしていたときには黒っぽい色をしていたオキナグサの花は、下から見上げると燃えるような赤なのです。どんなことでも、いっぽうから見るだけでは足りません。思わず「ほうっ」とため息をついた賢治に、オキナグサは優しく語りかけました。

「こんにちは。わたしたちの声は、そうやって、ちゃんと顔を見てくれたひとにだけ聞こえるのよ」

そうして賢治は、２株のオキナグサが、雲を見ながら語り合うのを聞きました。オキナグサの会話はそのまま、雲を観察するときのコツでもあるようです。通りかかったアリや、空を飛ぶヒバリも、しきりに話しかけてきます。そんなふうに花や虫や鳥と話せるようになると、野原は、とびきり賑（にぎ）やかなところです。

野原に居場所があると、ひとりでいても少しも寂（さび）しくはないし、退屈もしないのです。野原には、まだひとの言葉にはなっていないおはなしが満ちています。賢治はそれを、ていねいに拾い集めてきたのでしょう。

オキナグサは、かつては日の当たる草原にふつうに生えていましたが、いまでは環境が改変され、たいそう少なくなってしまいました。けれども、飛ぶばかりになったオキナグサが、「お日さんちゃんと見ていらっしゃるんですよ」と言うように、生育に適した環境が再生されれば、オキナグサはきっと戻ってきて、風に揺れる姿を見せてくれるに違いありません。わたしはその日を、こころ待ちにしています。

チュウリップの幻術

この農園のすもの垣根は、いっぱいに青白い花をつけています。雲は光って、立派な玉髄の置物です。一人の洋傘直しが、荷物を背負ってやって来ました。てくてく歩くその黒い細い足は、たしかに鹿に似ています。そして日が照っているために、荷物のうえにかざされた赤白だんだらの小さな洋傘は、有平糖でできているように思われます。

洋傘直しは農園に入ります。湿った黒土にはチュウリップが植えられ、いちめんに咲いています。園丁が、青い上着の袖で汗を拭きながら、ドイツ唐檜の茂みから出てきます。

「何のご用ですか。」「私は洋傘直しですが、何かご用はありませんか。また、何かハサミでも研ぐのがありましたらそちらもいたします。」

青い上着の園丁が、主人から刃物を預かってきてガチャッと置きました。「これだけお願いするそうです。」洋傘直しは、「はじめにお値段を決めておいてよろしかったら。」と研ぎ賃を決めてから、「それではお研ぎいたしましょう。」と水を汲みに行きました。

砥石に水が張られ、すっすと払われ、刃物が研がれていきます。ひばりはいつか空にのぼって、チーチク鳴いています。園丁が、唐檜の中からまた忙しく出てきました。

「いい天気になりました。もう一つお願いしたいんですがね。」

若い園丁は少し顔を赤くしながら、上着のポケットから角柄の西洋剃刀をとり出しました。

洋傘直しはそれを受けとり、刃をよく改めます。

「これはどこでお買いになりました。」

「貰ったんですよ。」

山脈は青くかがやき、雪の死火山もトルコ玉の空に浮き上がりました。剃刀は砥石を滑り、洋傘直しはポタポタ汗を落とします。今は全く五月の真昼です。

やがて洋傘直しは、茶色の粗布(あらぬの)の上にできあがった仕事をみんな載せ、ほっと息をして立ち上がりました。園丁が顔をまっ赤に火照(ほて)らせて飛んできました。

「もうできたんですか。では代(だい)を持ってきました。そっちは三十三銭ですね。それから私の分はいくらですか。」「ありがとうございます。剃刀の方は要(い)りません。」

洋傘直しは剃刀の代金をとらず、それならばと園丁がごちそうしようとするお茶も断ります。

「そうですか。そんならまあ私の作った花でも見ていって下さい。」と園丁が言うと、洋傘直しはやっと、「ええ、ありがとう。拝見しましょう。」と答えました。

洋傘直しと園丁は、チュウリップの畑へ歩み寄ります。園丁が花を指さしました。

「ね、此(こ)の黄と橙(だいだい)の大きな斑(ぶち)は、アメリカから直(じか)にとりました。こちらの黄いろは、見ていると額が痛くなるでしょう。この赤と白の斑は、私はいつでも昔の海賊のチョッキのような気がするんですよ。ね。それからこれは、まっ赤な羽二重(はぶたえ)のコップでしょう。そして一寸(ちょっと)あいつをごらんなさい。ね。そら、その黄いろの隣りのあいつです。」

「あの小さな白いのですか。」

「そうです、あれはここでは一番大切なのです。ずいぶん寂(しず)かな緑の柄(え)でしょう。風にゆらいでかすかに光っているようです。けれども実は少しも動いておりません。それにあの白い小さな花は何か不思議な合図を空に送っているように思われませんか。」

　洋傘直しが高く叫びます。「ああ、そうです、そうです、見えました。」

　なにやらひばりが、その鳴き方を変えたようです。園丁が言います。

「ごらんなさい。あの花の盃（さかづき）の中からぎらぎら光ってすきとおる蒸気がちょうど水へ砂糖を溶かしたときのようにユラユラユラユラ空へ昇っていくでしょう。そして、そら、光が湧（わ）いているでしょう。おお、湧きあがる、湧きあがる、花の盃をあふれてひろがり湧きあがり、ひろがりひろがり、もう青空も光の波でいっぱいです。湧きます、湧きます。どうです。チュウリップの光の酒。ほめて下さい。」

「ええ、このエステルは上等です。とても合成できません。」「おや、エステルだって、合成だって。あなたはどこかの化学大学校を出た方ですね。」「私はエステル工学校の卒業生です。」「エステル工学校。ハッハッハ。素敵だ。どうです。一杯やりましょう。チュウリップの光の酒。」

「いや、やりましょう。よう、あなたの健康を祝します。」

「よう、ご健康を祝します。いい酒です。」

　光の酒に酔い、ふたりの会話ははずみます。

「けれどもぜんたいこれでいいんですか。あんまり光が過ぎはしませんか。」「いいえ心配ありません。酒があんなに湧きあがり花弁をあふれて流れても、あのチュウリップの緑の花柄（かへい）はちょっともゆらぎはしないのです。さあも一つおやりなさい。」

「しかしいったい、ひばりはどこまで逃げたのかしら。自分でこんな光の波を起こしておいて、あとはどこかへ逃げるとは、気どってやがる。」「まったくそうです。こら、ひばりめ、降りてこい。しかしひばりのことなどは、どうなろうと構わないではありませんか。」

「まあ、そうですね。それでいいでしょう。ところがおやおや、あんなでもやっぱりいいんですか。向こうの唐檜が、何だかゆれて踊りだすらしいのですよ。」「心配ありません。どうせチュウリップ酒の中の景色です。」「すももも踊りだしますよ。」「構いませんよ。」「くだものの木の踊りの輪で、まん中で調子をとるのが桜桃（おうとう）の木ですか。」「いいえ、あいつは油桃（つばいもも）です。やっぱり巴丹（はたん）杏（きょう）やまるめろの歌は上手です。どうです、行って仲間に入りましょうか。」「行きましょう。おおい、おいらも仲間に入れろ。」

　そのときどの木かが、洋傘直しの目をひどく引っかきました。

「痛い。ちくしょう。」「おや、いけない、すっかり崩れて泣いたりわめいたり、むしりあったりなぐったり。いったい、あんまり冗談が過ぎたのです。」「こう世の中が乱れては、全くどうも仕方ありません。」「そうら、火です。火です。火がつきました。チュウリップ酒に火が入ったのです。」「畑も空もみんなけむり、しろけむり。」「パチパチパチパチパチやっている。」「どうも素敵に強い酒だと思いましたよ。」「そうそう、だからこれはあの白いチュウリップでしょう。」「そうでしょうか。」「そうですとも。ここで一番大事な花です。」

「ああ、もうよほど経ったでしょう。チュウリップの幻術にかかっているうちに。もう私は行かなければなりません。さようなら。」

「そうですか、ではさようなら。」

　洋傘直しは荷物へよろよろ歩いていき、その荷物を肩にし、もう一度あのあやしい花をちらっと見て、それからすももの垣根の入口にまっすぐに歩いていきます。園丁は何だか顔が青ざめてしばらくそれを見送り、やがて唐檜のなかへ入ります。


　賢治は華やかな園芸植物も好みました。涙ぐんだ目を模した「ティアフル・アイ」など、ユニークな花壇をいくつも設計しており、亡くなるひと月前に清書した文語詩には、

「造園学のテキストに、　　おのれが像を百あまり、
著者の原図と銘うちて、　　か丶げしことも夢なれやと、」

　との一節があります。造園の道で大成することを、夢見た時期もあったのでしょう。

花壇の設計図は、主に「ＭＥＭＯ　ＦＲＯＬＡ」と題されたノートに記されています。賢治

は、チューリップやヒヤシンスなど、当時はまだ珍しかった西洋の植物を、種苗店のカタログを見てとり寄せていたようです。このおはなしに出てくるチューリップは、「横浜植木」の明治時代のカタログに掲載された図譜と、色や形、花の並びまで似ています。

　チューリップの花はカップ状になっていて、その内側は、外側よりも温度や湿度が高まります。そこで花の上では、内と外との密度の異なる空気が混じり合い、かすかに陽炎が生じることになります。賢治はそれを、「チューリップの光の酒」と呼んでいます。

　賢治はいつ、チューリップの花から立ちのぼる陽炎を見たのでしょう。

「かげろふは／うつこんかうに湧きたてど／そのみどりなる柄はふるはざり」

　鬱金香は、チューリップの古い呼び名です。この短歌が書かれたのは、大正6（1917）年4月のことでした。

　このとき、賢治は盛岡高等農林学校の3年生で20歳。同じ年の7月1日には、保阪嘉内、河本義行、小菅健吉という親しい友人たちと、同人雑誌『アザリア』を創刊しています。気の合った友人たちと野山を歩き、おおいに語り合い、好きな文学を楽しんでいた時代。それは賢治にとって、まさに光のなかにあるような輝かしい記憶だったでしょう。

　ちなみに、文中に登場する「エステル」とは清酒に含まれる香気成分で、「とても合成できません」という言葉は、大正11（1922）年に鈴木梅太郎博士が清酒の合成に成功したことを受けていると思われます。鈴木博士は盛岡高等農林で教鞭をとったことがあり、ビタミンの発見者として有名です。

賢治が盛んにおはなしを書くようになったのは、大正10（1921）年、25歳のころからです。友人たちとはすでに別々の道を歩んでいました。郷里に戻った河本と保阪は兵役を経験し、小菅は研究のため渡米しています。また、キリスト教に関心のあった保阪とは、賢治が法華経（ほけきょう）を強く勧めたため、宗教上の別れがあったとされます。それでも4人の友情は消えることなく、離れていても互いの安否を気遣（づか）っていました。

大正時代は、結核の有効な治療法が確立されておらず、賢治のよき理解者であった妹のトシをはじめ、たくさんのひとが亡くなりました。賢治自身も、盛岡高等農林に研究生として残っていた大正7（1918）年、22歳になる年に、結核性の肋膜炎（ろくまくえん）と診断され、河本に「私のいのちもあと15年はあるまい」と語りました。

この予言は的中し、賢治は昭和8（1933）年9月21日、結核で療養中のところ急性肺炎により37歳で息を引きとります。そして予言を聞いた河本は、賢治に先立つこと2か月前の7月18日、海で溺（おぼ）れた同僚を助けたのち、亡くなっていました。

園丁と洋傘直しの、互いの健康を喜び合う乾杯のせりふが、こころに響きます。

ひのきとひなげし

ひなげしはまっ赤に燃え上がり、風にぐらぐら揺れて、息もつけないようでした。その後ろの方で、やっぱり風に、髪(かみ)も体も揉(も)まれて立ちながら、若いひのきが言いました。

「お前たちはまっ赤な帆船(ほぶね)でね、いまが嵐のとこなんだ。」

「いやあだ。あたしら、帆船なんかじゃないわ。背だけ高くてばかあなひのき。」

　ひなげしどもは、みんないっしょに言いました。

「そして向こうにいるのはな、みがきたて燃えたての銅(あかがね)づくりの生き物なんだ。」

「いやあだ。お日さま、銅なんかじゃないわ。背だけ高くてばかあなひのき。」

　このときお日さまは、さっさっさっと大きく呼吸をついて、るり色の山に入ってしまいました。風がいっそう激しくなり、ひなげしどもはみな熱病にかかったよう。てんでに何かうわごとを言ったのですが、風は端(はな)から相手にせず、どしどし向こうへかけ抜けます。

　そこでひなげしは、少し静まりました。いちばん小さなひなげしが、ひとりでこそこそ言いました。「ああつまらない、もう一生合唱手(コーラス)だわ。いちど女王(スター)にしてくれたら、あしたは死んでもいいんだけど。」となりの黒斑(くろぶち)の入った花がすぐに言いました。「それはもちろんあたしもそうよ。スターにならなくたって、どうせあしたは死ぬんだわ。」

「あら、スターでなくってもあなたくらい立派なら、もうそれだけでたくさんだわ。」「うそうそ。とてもつまんない。そりゃあたし、いくらかあなたよりいいわねえ。私もやっぱりそう思ってよ。けどテクラさんどうでしょう。まるで及びもつかないわ。青いチョッキの虻(あぶ)も黄のだんだらの蜂までまっ先にあっちへ行くわ。」

そこへ向こうの花壇から、悪魔が青いフロックコートを羽織った蛙に化け、気高いばら娘に仕立てた弟子の手を引いて、慌てたようすでやって来ました。

「や、道を間違えたかな。はて、ちょっと聞いてみよう。もしもし、美容術の家はどっちでしたかね。」ひなげしは立派なばらの娘を見、また美容術と聞いたので、みんなドキッとしましたが、誰も恥ずかしがって返事をしませんでした。

「ははあ、この辺のひなげしどもは無学だな。」悪魔の蛙が言い、女王のテクラが勇気を出して言いました。「何かご用でいらっしゃいますか。」「あ、これは。美容院はどちらでしょうか。」「さあ。そういうところ存じませんでございます。いったいそれが、この近所にでもございましょうか。」「それはもちろん。現にこの娘など、かれこれ三度、助手の方に来ていただいたのです。」「その美容術の先生は、どこへでも出張なさいますかしら。」「しましょうな。」「それでは何ですが、おついでの折にこちらへもお回り願えませんでしょうか。」「私はその先生の書生というのでもありません。けれどもとにかくそう言いましょう。」

悪魔は娘の手を引いて土手のかげまで行くと、「お前はこれで帰ってよし。ではおれは、今度は医者だから。」と言って、小さな白いひげの医者に化けました。弟子はさっそく雀のような形になって、ぼろんと飛んでいきました。

悪魔は急いでひなげしのところに戻ってきました。「ちょっとお尋ねしますが、ひなげしさんたちのおすまいは。」賢いテクラが、ドキドキしながら言いました。「あの、ひなげしは手前どもでございます。」「そう、わしは先刻、伯爵から言伝になった医者ですがね。」「それは失礼いたしました。そして私どもは立派になれましょうか。」「なりますね。まあ三服でさっきの娘ぐらいというところ。しかし薬は高いから。」

ひなげしたちはため息をつきました。テクラが尋ねます。「いったいどれくらいでございましょう。」「さよう。お一人五ビルです。」ひなげしは、しいんとしてしまいました。いちばん小さなひなげしが、思いきったように言いました。「お医者さん。少したてばあたしの頭にアヘンができるのよ。」

「ほう。アヘンかね。よし。承知した。証文を書きなさい。」するとみんなが叫びました。「私どももどうかそうお願いいたします。」「仕方ない。よかろう。承知した。証文を書きなさい。」

悪魔のお医者は、鞄から印刷した証文をたくさん出しました。

「ではわしがこの紙をぱらぱらめくるから、みんないっしょにこう言いなさい。アヘンはみんな差しあげ候と。」「では。」ぱらぱらぱらぱら、「アヘンはみんな差しあげ候。」「よろしいさっそく薬をあげる。一服、二服、三服とな。まずわしが呪文をうたう。するとここらの空気に赤い波が立つ。それをみんなで呑むんだな。」

悪魔のお医者はとても不思議ないい声で、おかしな歌をやりました。「まひるの草木と石土を照らさんことを怠りし　赤きひかりは集い来てなすすべしらに漂えよ。」するとほんとうに、そこらの空気の中に赤い光がかすかな波になって揺れました。ひなげしどもは一生懸命それを吸いました。

その光が消えてしまうと、悪魔のお医者はまた言いました。「では第二服。まひるの草木と石土を 照らさんことを怠りし 黄なるひかりは集い来てなすすべしらに漂えよ。」空気に薄い蜜(みつ)のような色がちらちら波になりました。ひなげしはまた一生懸命です。「では第三服。」と、お医者が言おうとしたときでした。

「おおい、お医者や、あんまり変な声を出してくれるなよ。ここは、セントジョバンニさまのお庭だからな。」ひのきが叫びました。「こうら、にせ医者。」すると医者はたいへん慌(あわ)て、大きく黒くなって飛んでいってしまいました。ひなげしはみんなあっけにとられ、ぽかっと空を眺(なが)めています。「もう一足でお前たち、頭をばりばり食われるとこだった。」「それだっていいじゃないの。おせっかいのひのき。」ひなげしたちは怒りました。

「そうじゃないって。お前たちが青いけし坊主(ぼうず)のまんまでがりがり食われてしまったら、もう来年はここへは草が生えるだけ、それに第一スターになりたいなんてお前たち、スターが何だか知りもしないくせに。スターというのはな、ほんとうは天上のお星さまのことなんだ。そうそう、オールスターキャストと言うだろう。ちゃんと定まった場所でめいめいの決まった光りようをなさるのがオールスターキャスト、な。ところがありがたいもんでスターになりたいなりたいと言っているお前たちがそのままそっくりスターでな、おまけにオールスターキャストだということになっている。それはこうだ。聴けよ。あめなる花をほしと言い、この世の星を花と言う。」

「何を言ってるの。ばかひのき、けし坊主なんかになってあたしら生きていたくないわ。わあい、わあい、おせっかいの、背高（せいたか）ひのき。」けしはやっぱり怒っています。けれどもその顔も、もうまっ黒に見えるのでした。空のあちこちに、星がぴかぴかしだしたのです。ひなげしは、しいんとしました。ひのきは、また黙って、夕方の空を仰ぎました。

ひのきの語る「オールスターキャスト」という考えは、「さまざまであること」のたいせつさを易（やさ）しく伝えています。群がり生えるひなげしが、同じように美しく咲くことは、たとえば花屋さんに並べる商品を育てるのならよいでしょう。けれども自然に咲くのなら、いろいろなままのほうがずっとよいのです。

まわりを草に覆（おお）われたら、背の低い花はお日さまの光が届かず弱ってしまいます。けれども強い風が吹いたら、背の高い花は折れてしまうかも知れません。背の高さだけではありません。

ひなげしの群れが多様さを保っていれば、何かしらのアクシデントがあったときに、どれかは生きのびて実を結んでくれるでしょう。

そしてひなげしたちが、実を食べられて来年は咲かなくなってしまうのも、この丘に生える植物の多様性が失われることにほかなりません。いろいろな生物が多様に存在していることを指して、「生物多様性」という言葉が使われるようになったのは1990年代からですが、賢治はその重要性に、60年あまり前から気づいていました。

「あめなる花をほしと云ひ／この世の星を花といふ」

というひのきのせりふはじつに印象的ですが、これは賢治のオリジナルではありません。仙台の詩人・土井晩翠が明治32（1899）年に出した第一詩集、『天地有情』に収められた「星と花」からの引用です。ここでも紹介してみましょう。

「同じ「自然」のおん母の／御手にそだちし姉と妹／み空の花を星といひ／わが世の星を花といふ。／かれとこれとに隔たれど／にほひは同じ星と花／笑みと光を宵々に／替はすもやさし花と星／されば曙雲白く／御空の花のしぼむとき／見よ白露のひとしづく／わが世の星に涙あり。」

「ひのきとひなげし」は、大正10（1921）年ごろに書き始められたと考えられています。そして印象的なラストは、死の数か月前に書き直されたことが分かっています。

はじめ、ひのきのせりふは仏教的なものでした。風に吹かれても、悪魔を追い払うときにも、

「はらぎゃてい」と言うのです。「般若心経」のおしまいの「羯諦羯諦波羅羯諦」の一部です。この部分は、言葉そのものに力があるため、ことさらに意味を知ろうとしなくてもよい呪文のようなもの、「真言」とされています。

しかし賢治は、亡くなる直前に仏教色を一掃します。それどころか、ひのきとひなげしの生える丘を、「セントジョバンニさまのお庭」と言っています。セントジョバンニとは「聖ヨハネ」、ヨルダン川でイエスに洗礼を与えながら、自身は救世主にはならず、殉教者として一生を終えた聖者のことと考えられます。

賢治は法華経を信仰するいっぽう、キリスト教を信仰する友人・知人から、大きな影響を受けてきました。キリスト教に関心のあった親友の保阪嘉内と、宗教論争もしています。仏教とキリスト教の違いを、賢治は考え続け、互いに理解し合いたいと願っていたのでしょう。そして晩翠は、自身は仏教者でありながら、妻八枝のキリスト教信仰を尊重していました。

アヘンやモルヒネをとるためのケシは、ヒナゲシとは別種です。なのになぜ、賢治はこのおはなしに、ヒナゲシを登場させたのでしょう。その理由は、たとえば「ひのき」と「ひなげし」で韻を踏むなど、いくつか考えられますが、晩翠の『天地有情』の表紙には、ヒナゲシが描かれていました。

やまなし

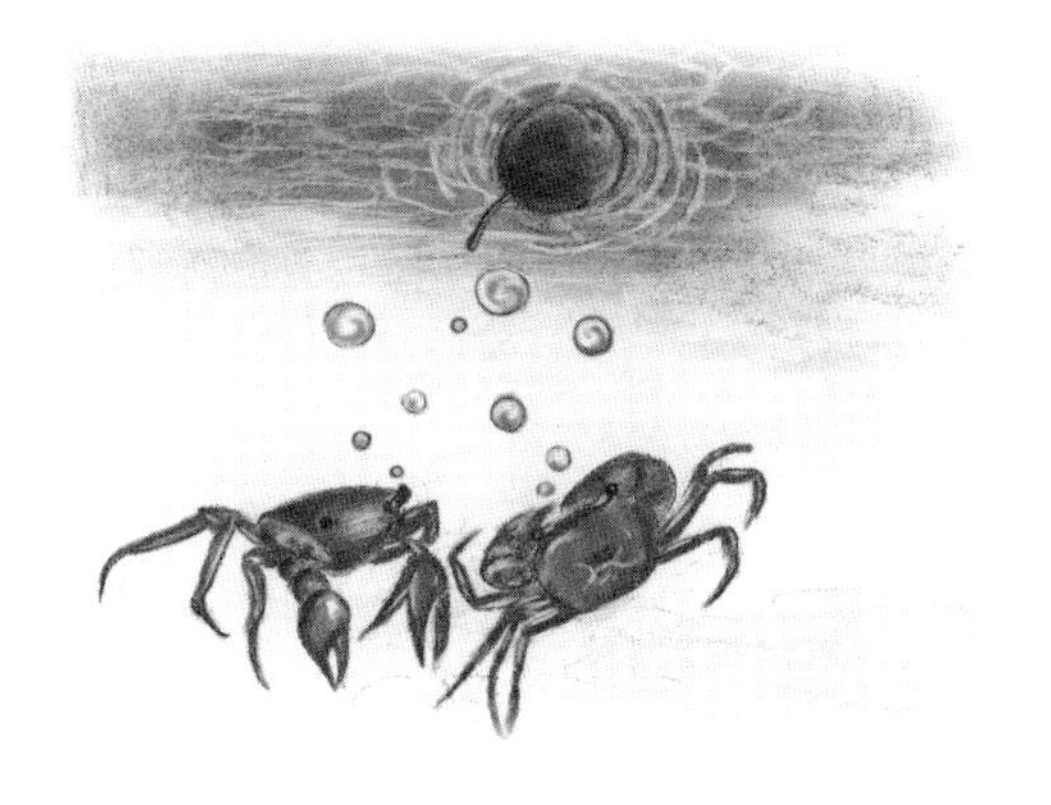

小さな谷川の底を写した、二枚の青い幻燈（げんとう）です。

五月。

二匹の蟹（かに）の子どもが、青白い水の底で話していました。

「クラムボンはわらったよ。」

「クラムボンはかぷかぷわらったよ。」

上の方や横の方は、青く暗く鋼（はがね）のように見えます。そのなめらかな天井（てんじょう）を、つぶつぶ暗い泡（あわ）が流れていきます。

「クラムボンはわらっていたよ。」

「クラムボンはかぷかぷわらったよ。」

「それならなぜクラムボンはわらったの。」「知らない。」

つぶつぶ泡が流れていきます。蟹の子どもらも、ぽつぽつぽつと続けて泡を吐（は）きました。それは揺れながら、水銀のように光って斜めに上っていきました。ツウと銀色の腹をひるがえして、一匹の魚が頭の上を過ぎていきました。

「クラムボンは死んだよ。」

「クラムボンは殺されたよ。」

「それならなぜ殺された。」兄さんの蟹は、その右側の四本の脚（あし）のなかの二本の脚を、弟の頭にのせながら言いました。「分からない。」

魚がまた、ツウと戻って下流の方に行きました。

「クラムボンはわらったよ。」「わらった。」

にわかに明るくなり、日光が夢のように水の中に降ってきました。波から来る光の網が、水底の白い岩の上で伸びたり縮んだりしました。魚が今度は、そこらじゅうの光をくちゃくちゃにして、おまけに自分は鉄色に底光りして、また上流にのぼりました。

「お魚はなぜ、行ったり来たりするの。」弟の蟹が尋ねました。

「何か悪いことをしてるんだよ、とってるんだよ。」「とってるの。」

その魚がまた上流から戻ってきました。今度は落ちついて、ひれも尾も動かさず、ただ水にだけ流されながら、口を環のように円くしてやって来ました。その影は黒く静かに光の網の上を滑りました。

「お魚は……。」そのときです。にわかに天井に白い泡が立って、青光りする鉄砲弾のようなものが、いきなり飛びこんできました。

兄さんの蟹ははっきりと、その青いものの先がコンパスのように黒く尖っているのを見ました。と思ううちに、魚の白い腹がぎらっと光ってひるがえり、上の方へのぼったようでしたが、それっきりもう青いものも魚の形も見えず、黄金の網はゆらゆら揺れ、泡はつぶつぶ流れました。

二匹は声も出ず、すくんでしまいました。お父さんの蟹が出てきました。

「どうしたい。ぶるぶるふるえているじゃないか。」「お父さん、いま、おかしなものが来たよ。」

「どんなもんだ。」「青くて、光るんだよ。端が黒くて尖ってるの。それが来たらお魚が上へ行ったよ。」「そいつの目が赤かったかい。」「分からない。」

「そいつは鳥だよ。かわせみと言うんだ。大丈夫だ。おれたちはかまわないんだから。」

「お父さん、お魚はどこへ行ったの。」

「魚かい。魚は恐いところへ行った。」

「恐いよ、お父さん。」「大丈夫だ。心配するな。そら、樺の花が流れてきた。ごらん、きれいだろう。」

泡といっしょに、白い樺の花びらが天井をたくさん滑ってきました。

　十二月。

　蟹の子どもらは、もうよほど大きくなり、底の景色も夏から秋の間にすっかり変わりました。白い柔らかな円石が転がってきて、小さな錐の形の水晶の粒や、金雲母のかけらも流れてきて止まりました。その冷たい水の底まで月光が通り、天井では波が青白い火を燃やしたり消したりしているよう。あたりはしんとして、いかにも遠くからというように、波の音が響いてくるだけです。

　蟹の子どもらは、あんまり月が明るくきれいなので、眠らないで外に出て、しばらく黙って泡を吐いて、天井の方を見ていました。

「やっぱり僕の泡は大きいね。」

「兄さん、わざと大きく吐いてるんだ。僕だってわざとなら、もっと大きく吐けるよ。」

「吐いてごらん。おや、たったそれきりだろう。兄さんが吐くから見ておいで。そら、ね、大きいだろう。」「大きかないや、おんなじだい。」

　またお父さんの蟹が出てきました。「もう寝ろ寝ろ。遅いぞ。あしたイサドへ連れていかんぞ。」

「お父さん、僕たちの泡、どっちが大きいの。」「それは兄さんの方だろう。」「そうじゃないよ。僕の方が大きいんだよ。」弟の蟹は泣きそうになりました。

　そのとき、トブン。黒い円い大きなものが、天井から落ちてずうっと沈んで、また上へのぼって行きました。キラキラッと黄金のぶちが光りました。

「かわせみだ。」子どもらの蟹は首をすくめて言いました。

　お父さんは、遠めがねのような両方の目を、あらんかぎり伸ばして見てから言いました。「そうじゃない。あれはやまなしだ、流れていくぞ、ついていってみよう。」

なるほど、そこらの月あかりの水の中は、やまなしのいい匂(にお)いでいっぱいでした。三匹はぽかぽか流れていくやまなしのあとを追いました。その横歩きと、黒い三つの影法師(かげぼうし)が、合わせて六つ、踊るようにして、やまなしの円い影を追いました。

　間もなく水はサラサラ鳴り、天井の波はいよいよ青い炎のように光り、やまなしは木の枝に引っかかって止まり、その上には月光の虹(にじ)がもかもか集まりました。

「やっぱりやまなしだよ。よく熟している。いい匂いだろう。」

「おいしそうだね、お父さん。」

「待て待て、もう二日ばかり待つと、こいつは下に沈んでくる、それからひとりでに美味しいお酒ができるから。さあ、もう帰って寝よう。おいで。」

親子の蟹は自分らの穴に帰っていきます。波はいよいよ、青白い炎をゆらゆらと上げました。それはまた、金剛石の粉を吐いているようでした。

◆

私の幻燈は、これでおしまいであります。

「クラムボン」が何を意味するか、いろいろな説が出されていますが、無理に答えを求める必要はないでしょう。読者それぞれに、じぶんのクラムボンがあってよいのです。

ただし手がかりがあるとすれば、このおはなしの舞台は谷川で、クラムボンが登場するのは5月だということです。そしてどうやら、魚が通るとクラムボンは死んでしまいます。魚に食べられたのなら、クラムボンは虫です。となれば、5月に多く発生し、英語で「メイフライ

(mayfly)」とも呼ばれる「カゲロウ」が、最も妥当です。

カゲロウは、幼虫時代を水中で過ごしますが、水面に浮かんだかと思うと、数分で羽化します。水面を流れる暗い泡は、羽化しようとするカゲロウの影でしょう。蟹の子は、水面に「ぷかぷか」浮かぶカゲロウを水中から見上げています。ゆえに「かぷかぷ」です。そして魚はその瞬間を狙うのです。食べられず無事に羽化したとしても、カゲロウに残された寿命は長くありません。数時間から数日のあいだに交尾をして卵を産み、死んでゆきます。そのためカゲロウは古くから、儚いものの例えとされてきました。

賢治はカゲロウの儚さに、わが身を重ね合わせていたのかも知れません。このおはなしは、大正12（1923）年の4月8日、岩手毎日新聞（当時）に掲載されましたが、このとき賢治は26歳、およそ1年にわたる相思相愛の恋を失ったところでした。恋の相手は、花城小学校で代用教員をしていた大畠ヤス。賢治の家からほど近い蕎麦屋の娘で、賢治より4歳年下でした。ふたりの恋が破れた理由は、主に周囲の反対とされています。

賢治はヤスを、しばしば花に例えます。このおはなしのタイトルになっているヤマナシの花も、そのひとつです。岩手の野山に生えるヤマナシの青白い花は、恋の相手を例えるのにふさわしい幽玄な美しさですが、賢治にはさらに、ヤマナシにこだわる理由がありました。それは音韻です。ヤマナシは、岩手では訛って「ヤマナス」と発音されます。

ヤマナス……ヤス。

そんな言葉遊びのようなことを、賢治がするでしょうか。けれども賢治のおはなしを音読してみると分かります。賢治は音韻を、とてもたいせつにしていました。

　このおはなしでは、「クラムボン」「わらったよ」というせりふのくり返しが、韻を踏んでいるようにリズミカルに読めます。そして、クラムボンと音がよく似ている「クラムボウ(crambo)」という英語には、「韻を踏む言葉を探す遊び」との意味があります。クラムボンとは、「韻を踏む言葉を探す者」という意味の造語で、それは賢治自身を表すと、わたしには考えられます。

　ちなみに、激しい恋と嫉妬の感情を描いたおはなし「土神ときつね」では、文中のいたるところで明瞭に韻を踏みます。

　賢治はヤスに恋をすると、「心象スケッチ」を書き始めます。自費出版された『春と修羅』には、亡くなった妹トシへの挽歌とともに、ヤスと思しき女性への恋心が記されます。トシとヤス、愛しい者への切なる思いが、賢治に心象スケッチを書かせたとも言えましょう。

　賢治は「やまなし」ののち、自らの恋を作品化したと思われる「シグナルとシグナレス」を、5月11日から岩手毎日新聞に連載します。おそらくは、ヤスにも伝えたうえでの行動でしょう。ヤスは、凛とした女性だったと想像されます。ふたりの恋は終わりましたが、賢治はヤスに励まされるようにして、作品を残したのではないでしょうか。

　とぷん、と落ちた実から、香り高いお酒ができるように。

いてふの実

　空のてっぺんなんか、冷たくて冷たくて、まるでカチカチの鋼(はがね)です。そして星がいっぱいです。けれども東の空は、優しい桔梗(ききょう)の花びらのように底光りを始めました。

　その空の高いところを、鋭い霜(しも)のかけらが風に流されて、サラサラサラサラ南の方へと飛んで行きました。そのかすかな音が、丘(おか)の上の一本のいちょうの木にも聞こえるくらい、澄(す)み切った明け方です。

　いちょうの実は、みんな目を覚ましました。そしてドキッとしたのです。今日こそは、たしかに旅立ちの日でした。みんなも前からそう思っていましたし、昨日の夕方やって来た二羽の烏(からす)もそう言いました。

「僕なんか落ちる途中で目が回らないだろうか。」一つの実が言いました。

「よく目をつぶって行けばいいさ。」もう一つが答えました。

「僕はね、水筒のほかに薄荷水(はっかすい)を用意したよ。少しやろうか。旅へ出て、あんまり心持ちの悪いときは、ちょっと飲むといいって、おっかさんが言ったぜ。」

「なぜおっかさんは僕へはくれないんだろう。」

「だから、僕あげるよ。おっかさんを悪く思っちゃすまないよ。」

　そうです。このいちょうの木はお母(かあ)さんでした。

　今年は千人の黄金(きん)色の子どもが生まれたのです。

　そして今日こそは、子どもらがみんな一緒に旅に発(た)つのです。お母(かあ)さんはそれをあんまり悲しんで、扇形の黄金の髪の毛を昨日までにみんな落としてしまいました。

「ね、あたしどんなところに行くのかしら。」一人のいちょうの女の子が、空を見あげてつぶやくように言いました。

「あたしだって分からないわ、どこにも行きたくないわね。」も一人が言いました。

「あたしどんな目にあってもいいから、おっかさんのとこにいたいわ。」

「だっていけないんですって。風が毎日そう言ったわ。」

「いやだわね。」

「そしてあたしたちも、みんなばらばらに別れてしまうんでしょう。」

「ええ、そうよ。もうあたし何にもいらないわ。」

「あたしもよ。今までいろいろわがままばっかし言って許してくださいね。」

「あら、あたしこそ。あたしこそだわ。許してちょうだい。」

　東の空の桔梗の花びらはいつかしぼみ、朝の白光りが現れはじめました。星が一つずつ消えていきます。木のいちばん高いところにいた二人のいちょうの男の子が言いました。

「そら、もう明るくなったぞ。嬉しいな。僕はきっと黄金色のお星さまになるんだよ。」

「僕もなるよ。ここから落ちればすぐ北風が空へ連れてってくれるだろうね。」

「僕は北風じゃないと思うんだよ。僕はきっと鳥さんだろうと思うね。」

「きっと鳥さんだ。頼んだら僕ら二人くらい、一遍に青空まで連れていってくれるぜ。」

　その下で、もう二人が言いました。

「僕はいちばんはじめに杏の王さまのお城を訪ねるよ。そしてお姫さまをさらっていったばけ物を退治するんだ。そんなばけ物がきっとどこかにあるね。」

「うん、あるだろう。けれどもあぶないじゃないか。ばけ物は大きいんだよ。僕たちなんか鼻でふっと吹き飛ばされちまうよ。」

「僕ね、いいもの持ってるんだよ。だから大丈夫さ。見せようか。そら、ね。」

「これおっかさんの髪でこさへた網じゃないの。」

「そうだよ。おっかさんが下すったんだよ。何か恐ろしいことがあったときは、この中に隠れるんだって。僕ね、この網をふところに入れておいてばけ物のところに行ってね、もしもし、僕を呑めますか呑めないでしょう、と言って、わざと呑まれるんだよ。僕はそのとき、ばけ物の胃袋の中でこの網を出してね、すっかりかぶって、めっちゃめちゃにおなかの中を壊しちまうんだよ。ばけ物が死んだら、僕は出てきてお姫さまを連れてお城に帰るんだ。そしてお姫さまをお嫁さんにするんだよ。」

「いいね。そんならそのとき、僕はお客さまになって行ってもいいだろう。」

「いいともさ。僕、国を半分わけてあげるよ。それからおっかさんには、毎日お菓子やなんかたくさんあげるんだ。」

　星がすっかり消えました。東の空は白く燃えているようです。木がにわかにざわざわしました。もう出発に間がないのです。

「僕、靴(くつ)が小さいや。面倒(めんどう)くさい。はだしで行こう。」

「そんなら僕のと替えよう。僕のは少し大きいんだよ。」

「替えよう。あ、ちょうどいいぜ。ありがとう。」

「私、困ってしまうわ、おっかさんに貰(もら)った新しい外套(がいとう)が見えないんですもの。」

「早くお探しなさいよ。どの枝に置いたの。」

「忘れてしまったわ。」

「困ったわね。これから非常に寒いんでしょう。どうしても見つけないといけなくってよ。」

「そら、ね、いいパンだろう。干(ほ)し葡萄(ぶどう)がちょっと顔を出してるだろう。早くかばんへ入れたまえ。もうお日さまがお出ましになるよ。」

「ありがとう。じゃ、貰うよ。ありがとう、いっしょに行こうね。」

「困ったわ、私。どうしてもないわ。ほんとうに私どうしましょう。」

「私と二人で行きましょうよ。私のをときどき貸してあげるわ。凍(こご)えたらいっしょに死にましょうよ。」

東の空が白く燃え、ユラリユラリと揺れはじめました。お母(かあ)さんの木は死んだようになって、じっと立っています。突然、光の束が黄金の矢のように飛んできました。子どもらは、まるで飛び上がるくらい輝きました。北から氷のように冷たいすきとおった風がゴーッと吹いてきました。

「さよなら、おっかさん。」「さよなら、おっかさん。」子どもらはみんな一度に、雨のように枝から飛び下りました。

北風が笑って、「今年もこれでまず、さよならさよならっていうわけだ。」と言いながら、ガラスのマントをひらめかして向こうへ行ってしまいました。

お日さまは燃える宝石のように東の空にかかり、あらんかぎりの輝きを、悲しむ母親の木と旅に出た子どもらとに投げておやりなさいました。

岩手の11月の、冷たく澄んだ明け方の空に、「桔梗」の色をあてた賢治のセンスに、つくづくと感心させられます。

その空に、黄色い葉を枝いっぱいにつけたイチョウの木は鮮やかに映(は)えます。イチョウはとても大きくなる木で、遠くからもよく見えますし、朝日をいち早く受けて輝きます。ほかの木より遅くまで葉を残しているので、その存在感は、秋の深まりとともに増します。そしてその葉は、ある日、ふいに落ちるのでした。

イチョウに限ったことではありませんが、葉を落とすタイミングは、それぞれの木がじぶんで決めているように思われます。風も吹いていないのに、木の葉が雨のように降ってくるのに出会ったことはないでしょうか。はらはらと舞う落ち葉の雨のなかに身を置くと、このおはなしが、決して空想だけで書かれたものではないことを実感します。

賢治はここで、旅立つ子どもたちと母親の別れを描いています。イチョウの木には性別があり、銀杏（ぎんなん）は雌株（めかぶ）にしか実りません。「お母さん」を表すのに、イチョウの木はじつにふさわしいのです。子どもたちがふたり一組になっているのも、イチョウの雌花（めばな）がひとつの花軸（かじく）にふたつずつ咲き、その両方がちゃんと熟せば、実も2個ずつであることを受けています。賢治のおはなしは、どんなに空想的に感じられるものでも、自然観察の結果が散りばめられています。

子どもたちの持つパンやかばんは想像でしょうが、おっかさんから貰う外套や網は、葉っぱや葉脈（ようみゃく）を見立てたものに違いありません。子どもたちが「お星さまになるんだよ」とか「一緒に死にませうよ」と言っているのも、木から落ちた銀杏が、そのままではほとんど育たないことを暗示しているのです。観察と想像、事実と創作、科学と文学が、パズルのように入り組んでいる。それが、賢治のおはなしの大きな特徴です。

理系か文系か、わたしたちは人間を、いずれか一方に分類しがちですが、賢治はその両方にまたがった「境界人」だったと思われます。

このおはなしを読んで、アンデルセンの童話「とび出した五つのえんどう豆」に似ていると感じた読者も少なくはないでしょう。賢治は小学校の3、4年生のときに、担任の八木英三（やぎえいぞう）から、アンデルセンなどの童話を読んでもらっています。それが原体験となり、賢治は西洋の文学から大きな影響を受けました。

大正14（1925）年、29歳の時に書いた「山の晨明（しんめい）に関する童話風の構想」で、早池峰山（はやちねさん）に登った賢治は、あたりのようすをお菓子に例えます。

「つめたいゼラチンの霧もあるし／桃いろに燃える電気菓子もある／またはひまつの緑茶をつけたカステーラや／なめらかでやにっこい緑や茶いろの蛇紋岩（じゃもんがん）」

桃いろの電気菓子はハクサンシャクナゲでしょう。そしてこの心象スケッチのラストで、賢治は子どもたちに山へ登ろうと呼びかけます。

「お丶青く展（ひろ）がるイーハトーボのこどもたち／グリムやアンデルセンを読んでしまったら／じぶんでがまのはむばきを編み／経木（きょうぎ）の白い帽子を買って／この底なしの蒼（あお）い空気の淵（ふち）に立つ／巨（おお）きな菓子の塔を攀（よ）ぢよう」

読み、歩く。歩いて、書く。賢治の世界を旅するには、読者もまた自然を見つめ、境界人の感性を持っていたほうがよさそうです。

第二章　いきもの

弟の宮澤清六さんにはじめてお目にかかったとき、わたしはまっさきに「賢治さんは畑の害虫を退治していましたか」と尋ねました。清六さんは大きく首を横に振り、「賢治はまったく、殺生が苦手でしたから」とおっしゃいました。

蛙の消滅

カン蛙とブン蛙とベン蛙は、歳も同じなら大きさも同じ、顔つきもよく似て、始終行ったり来たりしていました。けれども別に、親類というわけでもなかったのです。

ある夏の暮れ方、三匹はカン蛙のうちの前のつめくさの広場に座って雲見ということをやっていました。いったい蛙どもはみんな、夏の雲の峰を見ることが大好きです。それで日本人ならば、花見や月見をするところを、蛙どもは雲見をやります。

「実に立派だね。だんだんペネタ形になるね。」「うん、うすい金色だね。永遠の生命を思わせるね。」「実に僕たちの理想だね。」ペネタ形というのは蛙どもではたいへん高尚なものになっています。平たいことなのです。

「このごろ、ヘロンの方ではゴム靴が流行るね。」ヘロンというのは蛙語です。人間ということです。「僕たちも欲しいもんだな。」「まったく欲しいよ。あいつをはいてなら栗のいがでも怖くないぜ。」「手に入れる工夫はないだろうか。」「ないわけでもないだろう。」

やがて雲の峰は崩れ、ベン蛙とブン蛙は「さよならね。」と言って帰っていきました。

カン蛙は腕を組んで考えました。しばらくして畑に行くと、「もうし、もうし。」と野ねずみを呼びました。野ねずみは「ツン。」と返事をして出てきました。「ゴム靴を一足、工夫してくれないか。」カン蛙が頼むと、去年の秋、ひどく患ってカン蛙から親身な介抱を受けたという野ねずみは、「ああ、いいとも。」と答えました。

次の晩、カン蛙が畑に行くと、野ねずみはひどく疲れて怒ったようすで出てきて、いきなり小さなゴム靴をカン蛙の前に投げました。「ひどい難儀をしたよ。たいへんな手数だったよ。お前のご恩はこれで払ったよ。少し払いすぎたくらいかしらん。」

無理もありません。まず野ねずみは、ただのねずみに頼む、ねずみは猫に、猫は犬に、犬は馬に頼む、馬は人間から、ゴム靴を一足ごまかす。それを馬が犬、犬が猫、猫がねずみ、ねずみが野ねずみに、「あとで礼をよこせ。」などと言いながら渡す。しかも馬は、ゴム靴をごまかしたことが分かったら、あとでひどい目に遭うかも知れません。

けれどもカン蛙は嬉しくて、さっそくそれを叩いたり引っ張ったりして自分の足に合うようにこしらえ直し、にたにた笑いながら足にはめ、ひと晩じゅう歩きまわりました。

次の日、ブン蛙とベン蛙が、疲れて眠っていたカン蛙を起こしました。「もう雲見の時間だよ。」

「や、君はもうゴム靴をはいているね。どこから出したんだ。」

「いや、これはひどい難儀をしてとって来たんだ。君たちにはとても持てまいよ。歩いて見せようか。いい具合だろう。僕がこいつをはいて歩いたら芝居のようだろう。まるでカーイのようだろう、イーのようだろう。」「うん、実にいいね。僕たちも欲しいよ。」

雲の峰は銀色です。けれどもベン蛙とブン蛙は、ゴム靴ばかり見ていました。

そのとき、一匹の美しいてんとうむしが飛んできて、つゆくさの葉にとまりました。「てんとうむしさん、今晩は。何のご用ですか。」「あたしは、おむこさんを探しに来たのよ。」「おや、そんなら僕なんかはどうかなあ。」ベン蛙が言いました。「あるいは僕なんかは、適当でしょうかね。」ブン蛙が言いました。ところがカン蛙は、何も言わずに、すっすっとそこらを歩いているばかりです。

「あら、あたし、もう決めたわ。あの方よ。」

「おや、僕に何か用があるんですか。ああ、なるほど。ああそうですか。ふふん。いや、よろしい。承知しました。それで日はいつにしましょう。式の日は。」「八月二日がいいわ。」「ふふん。なるほど。それがいいでしょう。」

「さよならね。」ベン蛙とブン蛙はぶりぶり怒って、いきなりくるりと後ろを向いて帰ってしまいました。そのあとで、カン蛙の喜びようと言ったらもうありません。あちこち歩いて歩いて、東から二十日の月がのぼるころ、やっと家に帰って寝ました。

　いよいよ明後日（あさって）が式という日、カン蛙は雨のなかを、ゴム靴をピチャピチャさせながら歩いて、ブン蛙とベン蛙のところを回りました。「明後日は僕の結婚式なんだ。どうか来てくれたまえ。」「うん、そうそう。そう言えばあのときあのちっぽけな赤い虫が何かそんなこと言っていたようだったね。行こう。」「どうか。ではさよならね。」

　カン蛙がうちに帰るころ、ブン蛙はベン蛙のところにやって来ました。「カンが来たろう。」

「うん。いまいましいね。」「まったくだ。何とかひどい目に遭（あ）わしてやりたいね。」二匹は結婚式の前にカン蛙を散歩に誘い出し、萱（かや）の刈り跡を歩くことにしました。そうすれば刈られた萱が刺さって、ゴム靴がめちゃくちゃになるでしょう。おまけに杭跡（くいあと）の穴を木（こ）の葉（は）で隠し、結婚式が終わったあとの二人を、落としてやろうと決めました。

次の日の昼過ぎ、ベン蛙とブン蛙がカン蛙のうちにやって来ました。「やあ、今日はおめでとう。」「ところで式まで時間があるだろう。少し歩こうか。」「三人で手をつないで行こうね。」ブン蛙とベン蛙とが、両方からカン蛙の手をとりました。

三匹は萱の刈り跡にやって来ました。「おい。ここはよそうよ。」「いいや、せっかく来たんだもの。そら歩きたまえ。」二匹はカン蛙の手を引いて、自分たちも足が痛いのを我慢(がまん)して、ぐんぐん歩きました。「ああ、とうとう穴が開いちゃった。」「おや。君の靴がぼろぼろだね。どうしたんだろう。」ゴム靴は、カン蛙の足からあちこちに散らばって、なくなってしまいました。二匹はやっと手を放し、ふさぎこんだカン蛙を連れて家に帰りました。

しばらくしてお嫁さんの行列がやって来ました。てんとうむしのお父さんに当たるかぶとむしが、「婿(むこ)どのはあの三人の中のどれじゃ。」と尋ねました。てんとうむしは小さな目をパチパチさせました。はじめカン蛙を見たときは、ゴム靴のほかは何も気をつけなかったので、裸足(はだし)で並んでいると、三匹ともよく似ているのでした。けれどもカン蛙が、ひと足前に出ておじぎをしたので、てんとうむしはやっと「あの方よ。」と答えました。

式が済(す)むと、ベン蛙とブン蛙が言いました。「さあ新婚旅行だ。」「そこまで見送ろう。」カン蛙も仕方なく、てんとうむしを頭にとめて出かけました。木の葉をかぶせた杭跡まで来ると、「ああ、ここは道が悪い。お婿さん、手をとってあげよう。」ブン蛙とベン蛙は、カン蛙の手をとり穴に落とそうとしましたが、カン蛙が踏んばったので、とうとう「ポトン、バチャン。」三匹とも穴の底の泥水に落ちてしまいました。

夜になりました。パチャパチャパチャパチャ。夜が明けました。パチャパチャパチャパチャ。日が暮れました。パチャパチャパチャパチャ。夜が明けました。パチャパチャパチャパチャ。雲の峰（みね）。ペネタ形。もう三匹の姿は見えません。可哀そうに、消滅してしまったのです。

てんとうむしがどうなったかというのですか。てんとうむしは、とうにおうちへ、泣いて帰ってきています。

賢治のおはなしには、自然観察の結果が散りばめられているため、読者の自然体験の有無や程度によって、感じ方が変わってきます。それは、どの読者にもそれぞれの読み方ができるということで、どれが正しく、どれが間違いと決めるものではありません。ただ、読者もまた自然を歩いて、賢治が見たのと同じ光景を目にすると、おはなしの意味が理解しやすくなるのは確かです。

「蛙の消滅」に登場するアマガエルは、岩手にはまだ数多く生息しています。7月には、ぜひ田畑のある地域をお訪ねください。数えきれないほどの小さなアマガエルが、田んぼから上陸してくるのに出会うでしょう。アマガエルは足に吸盤（きゅうばん）を持ち、オタマジャクシからカエルに成長すると、畑や野原へ移動して暮らすのです。

けんめいに生きようとする小さなアマガエルは、ほんとうに愛（いと）しいものですが、彼らは激しい生存競争にさらされています。上陸するそばから他の生きものに食べられたり、うまくエサをとれずに弱ったりして、その数を減らします。また、このおはなしで杭の穴が落とし穴になるように、人為（じんい）によって命を失うものも少なくはありません。

3匹のアマガエルが、あっけなく消滅してしまうこのおはなしの結末は、読者によっては奇異（きい）に感じられるかも知れません。しかし、無数に生まれては死んでゆくアマガエルの運命を知れば、むしろ極めて自然だと言えましょう。アマガエルは、まさしく消滅するいのちなのです。おそらく賢治は、熱心なカエル・ウオッチャーだったでしょう。

特筆すべきは、「雲見」のシーンです。水辺を離れて暮らすアマガエルにとって、体を潤すことのできる雨は、まさに天からの恵みです。雨の前、空中の湿度がじわじわと高まってくると、待ち切れないといったふうに、あちこちでアマガエルが鳴き出します。雨の前触れとなるその声は「雨鳴き（あまなき）」と呼ばれ、アマガエルという名の所以（ゆえん）になっています。

彼らにすれば、雨をもたらす「雲の峰」、すなわち入道雲は、惚れ惚れ（ほれぼれ）とするほど魅力的（みりょくてき）に違いありません。入道雲が発達して成層圏に達すると、それより上には行けず、横に広がって、かなとこ雲になります。それこそは、いよいよ雨が降り出す合図です。

カン蛙たちはその雲を「ペネタ形」と呼び、「永遠の生命」を見るのでした。そして3匹が消滅してしまうそのとき、空にはペネタ型の雲が出ていました。消滅したいのちは、生態系のなかで他の生きもののいのちを支えています。また賢治は、あらゆる生きものは輪廻転生をするのだと考えてもいたようです。目まぐるしく消滅しながら、連綿とつながってゆくいのちを、賢治は雲に重ねています。

消滅する理由を、まるで人間じみた愛憎劇にしたのは、賢治自身の経験が投影されているのでしょうか。カン蛙の利己心やうぬぼれ、ベン蛙、ブン蛙の妬みや復讐心、テントウムシの薄っぺらな選択。一足のゴム靴をめぐって、みんなの感情がにわかに歪んでゆきます。ちなみにゴム靴は、大正時代に流行していたそうです。

のちに賢治は、このおはなしの結末を変えます。お嫁さんを蛙にし、3匹は消滅することなく助けられ、改心して幸せに暮らすのです。そうして改作された「蛙のゴム靴」が「最終形」になりますが、人間的な部分を引き伸ばしたため、「蛙の消滅」に見られた自然の摂理は失われました。ほかの作品にも言えることですが、最終形が最も優れているとは限りません。賢治が長生きをしていれば、さらに直したかも知れません。

カイロ団長

　あるとき、三十四のあまがえるが、いっしょに面白く仕事をしていました。これは主に虫仲間から頼まれて、紫蘇の実やけしの実を拾ってきて花ばたけをこしらえたり、石や苔を集めて庭をつくったりする職業でした。それは畑の豆の木の下や、林の楢の木の根もと、また雨だれ石の陰などに、それはそれは上手に、可愛らしく作ってあるのです。

　あまがえるたちは朝、黄金色のお日さまの光が、とうもろこしの影法師を二千六百寸も遠くへ投げ出すころから、夕方はお日さまの光が木や草の緑を飴色にさせるまで、歌ったり笑ったり叫んだりして仕事をしました。さあ、それ。しっかりひっぱれ。いいか。よいとこしょ。おい、ブチュコ、縄がたるむよ、いやさ、なんてまあ、こんな具合です。

　ところがある日、あまがえるたちが一本の桃の木の下を通ると、新しい店が一軒できていました。看板がかかって、「舶来ウェスキイ一杯、二厘半」と書いてあります。あまがえるは珍しいものですから、ぞろぞろ店の中に入って行きました。店にはとのさまがえるがのっそりと座っていて、とほうもないいい声で言いました。

「へい、いらっしゃい。みなさん、ちょっとお休みなさい。」

「舶来のウェクーというものがあるそうですね。どんなもんですか。」

　とのさまがえるは、粟粒をくり抜いたコップにその強いお酒を汲んで出しました。「ウーイ、これはどうもひどいもんだ。腹がやけるようだ。おい、みんな、これはおかしなもんだ。ああ、いい気分だ。もう一杯くださいませんか。」「ウーイ、ウフッ、ウウ、どうもうまいもんだ。」「ウウイ。」「おいもう一杯おくれ。」「もう一杯早く。」「ウーイ、うまい。」そのうちにあまがえるたちは、キーイキーイといびきをかいて寝てしまいました。

とのさまがえるはにやりと笑って、急いですっかり店を閉め、頭から足の先までくさりかたびらを着こみ、棚から鉄の棒を出してくると、椅子にどっかり座って、一匹のあまがえるの緑色の頭を、こつんと叩きました。「おい。起きな。勘定を払うんだよ。さあ。」「あっ、そうそう。勘定はいくらになっていますか。」「お前のは三百四十二杯で、八十五銭五厘だ。」あまがえるは財布を見ますが、三銭二厘しかありません。「何だい。呆れたやつだ。さあどうするんだ。」「ないんですよ。許して下さい。その代わりあなたのけらいになりますから。」

とのさまがえるは、二番目のあまがえるの緑青色の頭を叩いて言いました。「お前のは六百杯で、一円五十銭だよ。」あまがえるはすきとおるくらい青くなって財布をひっくり返してみましたが、一銭二厘しかありません。「これだけにまけてください。」「おや、勘定の百分の一にまけろとはよく言えたもんだ。」「だってないんだもの。」「なきゃおれのけらいになれ。」

それからとのさまがえるは、キーキーいびきをかいているあまがえるの財布を片っぱしから改め、その緑色の頭をポンポンポンポン叩きました。そして言いました。「お前たちはわしの酒を呑んだ。どの勘定も八十銭より下のはない。ところがお前らは五銭より多く持っているやつは一人もない。どうじゃ、誰かあるか。無かろう。そこでお前たちの仲間は、前に二人お金を払うかわりに、おれのけらいになるという約束をしたが、お前たちはどうじゃ。」

「どうも仕方ない。そうしようか。」「どうかそうお願いいたします。」あまがえるなんというものは人がいいので、すぐとのさまがえるのけらいになりました。とのさまがえるは一同におごそかに言いました。「いいか。この団体はカイロ団ということにしよう。わしはカイロ団長じゃ。あしたからはみんな、おれの命令に従うんだぞ。いいか。」

けれどもカイロ団には、誰も仕事を頼みにきませんでした。とのさまがえるは、「仕事のないときに忙しいときの仕度(したく)をしておくことが最必要だ。」と、材料集めをあまがえるたちに命じます。「今日はみんな出ていって、立派な木を十本だけ、十本じゃ少ない、ええと、百本、百本でも少ないな、千本だけ集めてこい。もし集まらなかったら警察へ訴えるぞ。貴様らはみな死刑になるぞ。首をシュッポォンと切られるぞ。」

あまがえるどもは一生懸命探しましたが、もう前から探すくらい探していたのですから、夕方までにたった九本しか見つかりませんでした。そこへ蟻(あり)が通りかかり、「そこにあるかびの木などは、一つかみ五百本にもなるじゃありませんか」と申しました。みんなは喜んで、かびの木を一人が三十三本三分三厘(ぶ)ずつ集めました。

翌日は花の種を一人が万粒ずつです。みんなは拾って拾って、夕方までに一万粒ずつ集めて帰りました。さらに翌日、とのさまがえるは「石を九百貫(かん)ずつ運んでこい。」と命じました。みんなは一つ百匁(もんめ)ほどの石に綱(つな)をつけて、「エンヤラヤア、ホイ、エンヤラヤアホイ。」と引っぱりました。汗がチクチクチクチクチク出て、体はまるで風のようにへたへたになり、世界はほとんどまっ暗に見えました。とにかくそれでも、めいめいの石をカイロ団長の家まで運んだときには、もうお昼になっていました。

　カイロ団長は「何だ。のろまども。今までかかってこれだけしか運ばないのか。」と申しました。あまがえるはみんなやけ糞(くそ)になって叫びました。「どうか警察にやって下さい。」とうとうカイロ団長が怒って「えい、馬鹿者(ばかもの)め、意気地(いくじ)なしめ。」と叫びだしたとき、「ガーアアアアアア。」というかたつむりのメガホンの声が、青空高く響きわたりました。

「王さまの新しいご命令。一か条。ひとに物を言いつける方法。第一、ひとにものを言いつけるときは、そのいいつけられるものの目方(めかた)で自分の体の目方を割って答えを見つける。第二、言いつける仕事にその答えをかける。第三、その仕事を一ぺん自分で二日間やってみる。以上。」

　さあ、あまがえるたちの喜んだのなんの。算術の上手(うま)いかえるが、すぐに暗算をしました。

「九千貫だよ。おい。みんな。」「団長さん。これから晩までに四千五百貫、石を引っぱってください。」「王さまの命令です。引っぱってください。」あまがえるたちは、とのさまがえるを石のあるところへ連れていくと、一貫目ばかりある石に綱を結びつけて、その肩にかけました。

「ヨウイト、ヨウイト、ヨウイト、ヨウイトショ。」あまがえるたちのはやし声に合わせて、とのさまがえるが踏んばりますが、石はびくともしません。

　しまいにとのさまがえるの足は、キクッと鳴って、くにゃりと曲がってしまいました。あまがえるたちはそれを見て、思わずどっと笑いましたが、それから急に、しいんとなってしまいました。みなさんはおわかりですか。ドッと一緒に人をあざけり笑い、それからにわかにしいんとなった時のさびしいことです。

　ところがちょうどそのとき、またもや青空高くかたつむりのメガホンの声が鳴り響きました。

「王さまの新しいご命令。王さまの新しいご命令。すべてあらゆる生きものは、みんな気のいいかあいそうなものである。けっして憎んではならん。」

　そこであまがえるたちは、とのさまがえるに走りよって、水をやったり、曲がった足を直したり、とんとんと背中を叩いたりしました。とのさまがえるは、ホロホロと涙を流して言いました。「ああ、みなさん、私はやっぱりただの蛙です。あしたから仕立屋をやります。」次の日から、あまがえるはもとのように、愉快にやりはじめました。

　カエルを主人公とした賢治のおはなしは3つあります。「蛙の消滅」（のちに「蛙のゴム靴」に改作）と「カイロ団長」、そして「畑のへり」です。

「畑のへり」のあらすじは、この本では紹介していませんが、登場する2匹のアマガエルの会話が、非常にユーモラスです。１匹は、畑に植えられたトウモロコシの列を「カマジン国の兵隊」と呼び、「みんな二ひきか三びきぐらゐ幽霊をわきにかかへてる」と驚きます。さらにもう１匹は、「兎なんと云ふものは耳は天までとゞいてゐる」だの「人といふものは頭の上の方に十六本の手がついてゐる」だのと、奇妙なことばかり言うのです。

アマガエルに見えている世界は、わたしたちが見ている世界と同じとは限らない。賢治はそれを、易しいおはなしにして伝えているのでした。

ここで連想するのは、ドイツの生物学者ヤーコプ・フォン・ユクスキュルが、20世紀のはじめから提唱していた「環世界」という考えです。さまざまな生きものは、それぞれに異なる感覚を持っていて、おのおのが感じとる世界のなかで生きています。この世には、生きものの種類の数だけ異なる世界が存在しているとも言えるのです。ユクスキュルは、それを環世界と呼びました。

賢治はどこかで、ユクスキュルの考えに触れたのでしょうか。もっとも、自然を見つめているうちに同じような考えにたどり着くのは、ごく当たり前に起こり得ることですが。

いっぽう「カイロ団長」では、アマガエルたちは擬人化され、ウイスキーを飲んで酔っぱらったり、その勘定を払えなくなって働かされたりします。そうしてアマガエルたちが、過酷な労働に耐えかねて動けなくなったとき、青空高く王さまの命令が響きます。

ひとにものを言いつけるときは、それを一ぺん自分でやってみる。

賢治は幼いころから、質屋という家業を通じて貧しさに触れてきました。また農学校の教師となってからは、過酷な労働と貧困に苦しむ農村を目の当たりにします。そのため賢治は、労働は正しく評価されるべきだと強く感じていたのでしょう。

たとえ人間どうしでも、置かれている状況はそれぞれ異なり、他者に対するときは、相手の立場になって考える必要があります。ましてや人間以外の生きものに対しては、いっそうの想像力を働かせ、適切な接し方をこころがけたいものです。「すべてあらゆる生きものは、みんな気のいいかあいそうなものである」という王さまの命令が、ひとりでも多くの読者のもとへ届きますように。

賢治の自然観察の結果は、このおはなしにも散りばめられています。野原や畑を歩いていると、誰かがわざわざ植えたのでもないのに、まるで意匠（いしょう）を凝らしたデザインのように、木や草が美しく生えているのに驚きます。賢治は樺太（からふと）を訪れ、北の原野を目にしたときの感動を、心象スケッチ「樺太鉄道」のなかで、

「すべて天上技師Nature（ネイチャー）氏の／ごく斬新（ざんしん）な設計だ」

と書いています。「カイロ団長」では、「天上技師Nature氏」の設計のうち、ごく小さなコケなどを扱うものを、30匹のアマガエルたちが請け負っていたというわけです。アマガエルたちが楽しげに働くようすからは、貧しいひとを相手にするのではなく、自然を相手に庭でも拵（こしら）えながら生きていけたら……という、賢治の願いが聞こえてくるようです。

毒蛾

私はイーハトブ地方への出張から帰ったばかりです。私は文部局の巡回視学官ですから、出張ばかりしています。イーハトブでは珍しいものを見ました。新聞にも出ていた毒蛾です。

ことに烈しかったのは首都のマリオです。ホテルでは、暑いのに窓がすっかり閉めてあり、給仕は「当地方には毒蛾がひどく発生して居りまして、夕刻からは窓をあけられませんのでございます。只今、扇風機を運んで参ります。」と言ったのでした。

私は、いまのうち床屋へでも行ってこようと通りへ下りると、一軒の大きな床屋に入りました。親方のほか、理髪アーティストが六人もいます。アーティストたちは私の髪型を熱心に検討したのち、「ネオグリーク」という型を提案しました。「じゃ、そう願いましょうか。」私はていねいに言いました。それはこの人たちがみんな芸術家だからです。

さて、私の頭はずんずん奇麗になりました。すると俄かに隣りの人が、「あ、いけない、いけないとうとうやられた。」と高い声で叫んだのです。見ると、ひげを片方だけ剃った立派な紳士が怖ろしそうに顔をゆがめていました。「どこへさわりましたのですか。」親方らしい人が大きなフラスコを持ってきました。そのうちに二、三人のアーティストたちは、押虫網でその小さな黄色な毒蛾を捕まえてしまいました。「ここだよ。早く。」紳士は左の目の下を指し、親方は大急ぎで、フラスコの中の水を綿にしめしてその目の下をこすりました。

「何だいこの薬は。」紳士が叫びました。「アムモニア二%液。」と親方が落ちついて答えました。

「アムモニアは利かないって、今朝の新聞にあったじゃないか。」紳士は立ち上がって親方に詰め寄りました。「それは間違いです。アムモニアの効くことは県の衛生課長も声明しています。」「あてにならんさ。」「そうですか。」親方は癪に障ったらしく、フラスコを持ったまま向こうへ行ってしまい、紳士は「弱ったなあ、あしたは僕は大事な交際があるんだ。」と言いながら、ずんずん赤く腫れていく頬を鏡で見ていました。

親方が向こうで言いました。「なあに毒蛾なんか、市中いたる処に居るんだ。私の店だけに来たんじゃないんだ。」紳士はまた椅子に座り、「おい、早くあとをやってしまってくれ。」と言い、変な形になって行く顔を気にしながら、残り半分のひげを剃らせました。

私の方のアーティストは、しきりに時計を見て無暗に急ぎました。私の顔などは二十五秒ぐらいで剃ってしまったのです。親方が、「さあもう一分だぞ。電気のあるうちに大事なところは済ましちまえ。アセチレンの仕度はいいか。」と言い、白い服を着た子供の助手が、アセチレン燈を四つ運び出して、鏡の前に並べ、水を入れて火をつけました。

そのときです。あちこちの工場の笛が鳴り、子供らは叫び、教会やお寺の鐘まで鳴りだして、それから電燈がすっと消えたのです。電燈の代わりのアセチレンで、あたりがすっかり青く変わりました。それから私は、鏡に映っている海の中のような青い部屋の、黒く透明なガラス戸の向こうで、赤い火が燃やされているのを見ました。「ははあ、毒蛾を殺す為ですね。」「さようでございます。」アーティストは私の頭に香水をかけながら答えました。

銀貨を一枚払い、大きなガラスの戸口から外の通りに出ると、私は胸の躍るのを止められませんでした。マリオの通りに電気が一つもなくて、並木のやなぎには黄いろのランプがつるされ、道にはまっ赤な火がならび、そのけむりはやさしい深い夜の空にのぼりました。どうしてもこれは、遙かの南国の夏の夜の景色のように思われたのです。私はひとり、通りをゆっくり歩いていきました。いろいろな羽虫が本当にその火の中に飛んでいくのも私は見ました。

　そのうちに、私は向こうの方から、高い鋭い、そして力のある声が、こちらにやって来るのを聞きました。それは頑丈そうな小さな腰の曲ったおじいさんで、一枚の板きれの上に四本の蝋燭を灯したのを両手に捧げてしきりに叫んでいるのでした。

「家の中の灯りを消せい。電燈を消してもほかの灯りを点けちゃなんにもならん。」

　灯りをつけている家があると、そのおじいさんはいちいちその戸口に立って叫ぶのでした。この人はよほどみんなに敬われているようでした。どの人もていねいにおじぎをしました。「あの人は何ですか。」私は一人の町の人に尋ねました。「撃剣の先生です。」その人は答えました。「あの床屋のアセチレンも消されるぞ。」私は笑い、道をききながらホテルに帰りました。

　部屋にはほんの小さな蝋燭が一本点いて、その下に扇風機が置いてありました。私は扇風機をかけ、気持ちよく休み、それから給仕に牛乳を持ってきて貰って、それを呑んでいるうちに電燈も点きましたから、あしたの仕度を少しして、その晩は寝みました。

　次の朝、私はホテルの広場で、マリオ日日新聞を読みました。三面なんかまるで毒蛾の記事でいっぱいです。その中に床屋で起ったようなことも書いてありました。きっと新聞記者もあの九つの椅子のどれかに腰掛けて、じっとあの問答をきいていたのです。

また一面にはマリオ高等農学校の、ブンゼンという博士の、毒蛾に関する論文が載っていました。それによると、毒蛾の鱗粉は顕微鏡で見ると槍の穂のように鋭いこと、その毒性はあるいは有機酸のためと言うがそれだけとも思われないこと、予防法としては、鱗粉がついたらまず強く擦って拭きとるのが一等だというようなことがわかるのでした。

さて私はその日は予定の視察をすまして、夕方すぐに十里ばかり南の方のハームキヤという町へ行きました。ここには有名なコワック大学校があるのです。

ハームキヤの町でも毒蛾の噂は実にたいへんなものでした。通りにはやはりたき火の痕もありましたし、辻々には毒蛾の記事に赤インクで印をつけたマリオの新聞も貼られていました。けれども奇妙なことは、この町に繃帯をしている人も、きれで顔を押さえている人も、実際に顔や手が赤く腫れている人も一人も見あたらないことでした　きっとこの町にはえらい医者が居て、治療が進んでいるんだと私は思いました。

その晩、その町で電燈が消え、たき火が燃やされたことはすっかり前の晩と同じでした。けれども電燈の長く消えていたこと、たき火の盛んなこと、とてもマリオより激しかったのです。私は早く寝んで、次の日朝早くからコワック大学校の視察に行きました。

大学校では、教授たちも巡回視学官が行ったところで緊張するでなし、少し失敬でした。一つの標本室へ入って行きましたら、三人の教師たちが、一つの顕微鏡を囲んで、かわるがわるのぞいたりしていました。校長がみんなを呼ぼうとしたのを、私は手で止めて、そっとその後ろに行って見ました。やっぱり毒蛾の話です。たぶん毒蛾の鱗粉を見ているのだと私は思いました。一人が立って、リトマス液をとりに行こうとして、私にぶっつかりました。

「文部局の巡回視学官です。」校長がみんなに言いました。みんなは私に礼をしました。「どうです。学校にも大分被害者があったでしょう。」私は言いました。「いいえ。なあに、毒蛾なんて、てんでこの町には発生(で)なかったんです。昨夜、こいつ一匹(ぴき)見つけるのに、四時間もかかったのです。」一人の教授が答えました。そして私は大声に笑ったのです。


「カイロ団長」のなかの、「すべてあらゆる生きものは」で始まる王さまの命令は、「けっして憎んではならん」で結ばれていました。しかし、です。ほんとうに、あらゆる生きものを愛することができるものでしょうか。

　たとえばドクガ科のドクガの幼虫は、皮膚に痒(かゆ)みを起こす毒毛(どくもう)を持っています。また、その毛が成虫の体にも付着(ふちゃく)することから、灯火(とうか)に飛来(ひらい)した成虫も被害をもたらします。賢治がこのおはなしを書いたのは、大正11（１９２２）年から翌年の2年間にわたり、岩手県でドクガの大発生があったことを受けています。

大正11年の7月17日、岩手日報や岩手毎日新聞にドクガ発生の第一報を投稿したのは、当時51歳の鳥羽源蔵（とばげんぞう）でした。鳥羽は、岩手で教職に就きながら植物、海藻、貝類、岩石などの研究をし、「岩手博物界の太陽」とまで呼ばれた人物です。

この年、北上川の「イギリス海岸」でクルミの化石を見つけた賢治は、この同定を鳥羽に依頼しました。鳥羽は、東北帝国大学で古生物を研究していた早坂一郎（はやさかいちろう）助教授に連絡し、大正14（１９２５）年11月には早坂助教授が賢治の案内でイギリス海岸を調査し、化石は絶滅種「バタグルミ（現在ではオオバタグルミとされる）」と判明しました。

さて、おはなしのなかにもあるように、ドクガの大発生は市民を恐怖に陥（おとしい）れたようです。岩手毎日新聞に掲載された鳥羽の記事には、「恐ろしき毒蛾の乱飛　特に華やかな店舗を襲ふ」との見出しがつけられました。ドクガの記事は連日のように新聞紙面をにぎわせ、7月20日の岩手日報の記事には、盛岡高等農林学校で昆虫の研究をしていた門前弘多（もんぜんこうた）博士の談話が、「昨冬の気候と寄生蜂の死が発生の二原因　これから増加することなく死滅一方の毒蛾」という科学的かつ冷静な見出しで紹介されています。

そう、作中で「ブンゼンという博士」と書かれているのが、この門前博士です。現在でも、マイマイガやクスサンなど蛾の大発生はしばしば起こりますが、それらは寄生蜂や病原菌の働きによって長くとも数年で収まります。昆虫学を学んだ人間なら、門前博士の意見に異論はないでしょう。賢治は盛岡高等農林の2年生のときに、門前博士の「動物及昆蟲」という科目を履修していました。

現在では、ドクガの被害は幼虫時代の毒毛が成虫に付着しているために起こることが分かっていますが、当時の昆虫学では、ドクガの毒成分の詳細は判明していなかったらしく、「毒蛾」のラストでは、「有名なコワック大学校」の教授たちが、しきりに顕微鏡で成虫の鱗粉を調べています。この教授のひとりに、賢治も混じっていたのでしょう。賢治の勤めていた農学校は、大正12（１９２３）年に花巻農学校となって移転しますが、それ以前は稗貫農学校と言い、校舎もごく質素で、主に養蚕を教えることから「桑っこ大学」と揶揄されていました。

「昨夜、こいつ一疋見つけるのに、四時間もかかったのです」とは、ドクガを過度に恐れる世間への痛烈な皮肉です。正しい知識を持ち、適切に恐れるのは、いつの世もむずかしいことなのでしょう。もっとも賢治自身、このおはなしで重大なミスを犯しています。新聞に掲載された門前博士の談話では、鱗粉が付着したら、吹き飛ばしたり水をかけたりして落とすことが肝心で、「手でこすったり又はいろいろなものを塗布してもあまり効はないものである」と書かれています。賢治は「まず強く擦って拭き取る」と書いていますが、これは間違いです。ドクガに触れたら、決してこすってはいけません。

よだかの星

よだかは、実に醜(みにく)い鳥です。顔はところどころ味噌(みそ)をつけたようにまだらで、くちばしは平たくて耳まで裂(さ)け、足はよぼよぼ。ほかの鳥は、よだかの顔をみただけで嫌(いや)になってしまうという具合でした。たとえば、ひばりもあまり美しい鳥ではありませんが、よだかよりは、ずっと上だと思っていましたし、もっと小さなおしゃべりの鳥などは、いつでもまっ向から悪口を言いました。「ヘン。また出てきたね。鳥の仲間の面汚(つらよご)しだよ。」「あの口の大きいことさ。きっと、かえるの親類か何かなんだよ。」

こんな調子です。おお、よだかがただの鷹(たか)ならば、こんな小さい鳥は、名前を聞いただけでも、ぶるぶる震(ふる)え、体を縮めて木(こ)の葉(は)の陰にでも隠れたでしょう。ところがよだかは、ほんとうは鷹の兄弟でも親類でもなく、あの美しいかわせみや、宝石のような蜂(はち)すずめの兄さんでした。蜂すずめは花の蜜(みつ)を食べ、かわせみは魚を食べ、よだかは羽虫(はむし)を食べるのでした。よだかには、鋭い爪(つめ)もくちばしもありませんでした。

それなら、「たか」という名がついたのは不思議ですが、これは、一つにはよだかの羽が強く、風を切って翔(か)けるときなどは鷹のように見えたこと、もう一つには鳴き声が鋭くて、やはりどこか鷹に似ていたためです。もちろん鷹は、これを非常に嫌がり、よだかをみると肩をいからせて、「早く名前を改めろ。」と言うのでした。

ある夕方、とうとう鷹がよだかの家へやって来ました。

「まだお前は名前を変えないか。おれのくちばしや爪を見ろ。よくお前のと比べて見るがいい。」

「鷹さん。私の名前は私が勝手につけたのではありません。神さまが下さったのです。」「いいや。おれの名なら、神さまから貰ったのだと言ってもよかろうが、お前のは言わば、おれと夜と両方から借りてあるんだ。さあ返せ。」「鷹さん。それは無理です。」「無理じゃない。おれがいい名前を教えてやろう。市蔵というんだ。名前を変えるには、改名の披露をしないといけない。いいか。首へ市蔵と書いた札をぶら下げて、私は市蔵と申しますと口上を言って、みんなのところをおじぎして回るのだ。」

「そんなことは、とてもできません。」「いいや。できる。もし明後日の朝までにお前がそうしなかったら、つかみ殺すぞ。つかみ殺してしまうから、そう思え。」鷹は大きな羽を広げて、自分の巣の方へ飛んでいきました。

よだかは、じっと目をつぶって考えました。

(いったい僕は、なぜみんなに嫌がられるのだろう。僕の顔は、味噌をつけたようで、口は裂けてるからなあ。それだって、僕は今まで、何にも悪いことをしたことがない。)

あたりは、薄暗くなっていました。よだかは巣から飛び出しました。雲が低く垂れています。よだかは雲すれすれに、音もなく飛びまわりました。それからにわかに口を大きく開いて、矢のように空を横切りました。小さな羽虫が、いく匹もいく匹もその咽喉に入りました。

一匹の甲虫が、よだかの咽喉に入って、ひどくもがきました。よだかはすぐに呑みこみましたが、そのとき何だか背中がぞっとしたように思いました。雲はもうまっ黒く、東の方だけ赤く、恐ろしいようです。よだかは、胸がつかえたように思いながら、また空へ昇りました。

　また一匹の甲虫が、その咽喉に入りました。そしてよだかの咽喉を引っかいてばたばたしました。よだかはそれを無理に呑みこみましたが、そのとき、急に胸がどきっとして、大声をあげて泣きだしました。泣きながら、ぐるぐるぐるぐる空をめぐったのです。

（ああ、甲虫や、たくさんの羽虫が、毎晩僕に殺される。そしてそのただ一つの僕が、今度は鷹に殺される。それがこんなにつらいのだ。ああつらい、つらい。僕はもう、虫を食べないで飢えて死のう。いや、その前に鷹が僕を殺すだろう。いや、その前に、僕は遠くの遠くの空の向こうに行ってしまおう。）

　よだかは、まっすぐに弟のかわせみのところに飛んでいきました。「僕は今度、遠いところへ行くからね。」「兄さん。行っちゃいけませんよ。蜂すずめも遠くにいるんですし。」「どうも仕方ないのだ。そしてお前もね、どうしてもとらなければならない時のほかは、いたずらにお魚を取ったりしないようにしてくれ。」「兄さん。どうしたんです。」「蜂すずめへ、あとでよろしく言ってやってくれ。さよなら。もう会わないよ。さよなら。」よだかは泣きながら自分の家に帰りました。短い夏の夜は、もう明けかかっています。

　よだかは高くきしきしきしと鳴くと、巣のなかを片づけ、体中の羽や毛を揃えて、また巣から飛び出しました。霧が晴れて、お日さまが昇りました。よだかはぐらぐらするほどまぶしいのを堪えて、矢のようにそっちへ飛んでいきました。

「お日さん。私をあなたのところに連れてってください。」お日さまは言いました。「お前はよだかだな。なるほど、ずいぶん辛かろう。今夜、空を飛んで星に頼んでごらん。お前は昼の鳥ではないのだから。」よだかはおじぎを一つしたかと思うと、急にぐらぐらして、とうとう野原に落ちてしまいました。

そしてまるで夢を見ているようでした。体がずうっと赤や黄の星の間を昇っていったり、どこまでも風に飛ばされたり、また鷹が来て体をつかんだりしたようでした。

目を覚ましたのは、すすきの葉から冷たい露(つゆ)が落ち、顔にあたったからでした。あたりは、すっかり夜になっていました。よだかは再び、空へ飛び立ちました。そして思い切って、西の空のオリオンに飛びながら叫(さけ)びました。「西の青白いお星さん。私をあなたのところに連れていってください。」オリオンは、勇ましい歌を続けながらてんで相手にしませんでした。

そして南の大犬(おおいぬ)座は、「馬鹿を言うな。お前の羽でここまで来るには億年兆年億兆年だ。」と言い、北の大熊星(おおくまぼし)は「少し頭を冷やしなさい。そういうときは、氷山の浮いた海の中に飛び込むか、近くに海がなかったら、氷を浮かべたコップの水の中へ飛び込むのが一番だ。」と静かに言いました。天の川の向こう岸の鷲(わし)の星は、「星になるには、それ相応の身分でなくちゃいけない。また、よほど金もいるのだ。」と言いました。

よだかは力を落とし、羽を閉じて、地に落ちていきました。もう少しで地面につくというとき、よだかはにわかに、のろしのように空へ飛び上がりました。空の中ほどで、よだかは鷲のようにぶるっと体をゆすって毛を逆立てました。それからキシキシキシキシッと高く叫びました。その声はまるで鷹でした。

よだかは、どこまでも、どこまでも、まっすぐに空へ昇っていきました。寒さで息は胸に凍り、空気が薄くなって、羽をそれはせわしく動かさなければなりませんでした。それなのに、星の大きさは、さっきと少しも変わりません。霜がよだかを刺し、羽はついにしびれました。よだかは涙ぐんだ目を上げ、もう一ぺん空を見ました。それがよだかの最期でした。

しばらくして、よだかは自分の体が青い美しい光になって、静かに燃えているのを見ました。隣りはカシオピア座で、天の川がすぐ後ろでした。そしてよだかの星は、燃え続けました。いつまでも、いつまでも燃え続けました。いまもまだ、燃えています。

賢治のおはなしには、鳥もたくさん出てきます。鳥の場合もカエルや草花と同様、観察による事実と、擬人化による創作が、パズルのように入り組みます。

鳥を観察することは、いまでこそ「バード・ウオッチング」という言葉もありますが、賢治が盛んにおはなしを書いていた大正時代には、まだ一般的ではありませんでした。たとえば、「日本野鳥の会」が設立され、日本で最初の「探鳥会」が開催されたのは、昭和9（１９３４）年、賢治が亡くなった翌年のことです。

日本野鳥の会の目的は、「鳥類愛護の思想の普及」と「鳥類研究の推進」でした。活動の主になったのは、内田清之助（うちだせいのすけ）や山階芳麿（やましなよしまろ）などの鳥類学者に加え、北原白秋（きたはらはくしゅう）や金田一春彦（きんだいちはるひこ）、柳田國男（やなぎたくにお）などの文学者です。初代会長を、中西悟堂（なかにしごどう）が務めました。

悟堂は賢治より1歳年上で、僧職に就いたのち詩人となり、自然観察をしながらの文学活動に勤（いそ）しみました。「野鳥」という言葉は悟堂が作ったもので、野の鳥は籠（かご）で飼ったりするのではなく、自然のなかで愛（め）でようと提唱しました。

仏教と自然観察と文学。賢治と悟堂には、共通する点が多いようです。

悟堂は賢治に注目しており、大正15（１９２６）年には雑誌『日本詩人』に、「新彗星（すいせい）諸君」のひとりとして賢治の名を挙げました。いっぽう賢治の書簡のなかには、悟堂あての日づけ不明の下書きがあり、「『潤葉樹（かつようじゅ）』毎々お送り下さいましてまこと」の一文が残されています。『潤葉樹』は、悟堂が出していた詩誌で、昭和3（１９２８）年の創刊から、昭和5（１９３０）年に終刊するまで計15冊が発行されました。

前置きが長くなってしまいました。賢治はしばしば、カワセミやハチドリの兄弟としてヨタカを描くのですが、それは、大正時代の分類体系では、これら3種がいずれも「ブッポウソウ族」に入れられていたことを受けているそうです。

夏鳥（なつどり）のヨタカは、夜になると「キョキョキョキョキョキョキョ」と、規則正しいリズムで鳴きます。岩手でも、めっきりとその数を減らしましたが、かつては夏の夜道で、ぺたりと地面に座りこんでいるのを見ることがありました。その地味な姿は、夜に活動するためのものです。毎晩、無数の羽虫を食べて生きているよだかが、こんどは鷹につかみ殺されそうになる。ここまでは、自然界の「食う食われる」という関係のなかで、実際に起こり得る出来事でしょう。

そしてわたしは、よだかが野原に落ちて「夢を見てゐるやう」に思い、「鷹が来てからだをつかんだ」と感じたとき、それは夢ではなく、ほんとうの出来事で、よだかはこの時点でいのちを終えていたのだと、読み解きたいと思うのです。空に向かって星になったのは、よだかの「たましい」だったのではないでしょうか。

賢治は「蛙の消滅」で、アマガエルが死んでゆくという事実に、ゴム靴をめぐる物欲や嫉妬の物語を組み合わせていました。そして「よだかの星」においては、よだかが鷹につかみ殺されるという事実に、容姿や名前をめぐる差別や迫害の物語を組み合わせています。

よだかの死のタイミングについては、深読みに過ぎる、と思われる読者もいるでしょう。けれども、主人公のよだかが自死を選んだようにも読める「よだかの星」の結末について、わたしなりにたどり着いたのが、この答えです。食べられたもののいのちは、食べたもののいのちを支え、その体のなかで、きれいな火になって燃えています。

手紙　四

わたくしはあるひとから言いつけられて、この手紙を印刷してあなたがたにお渡しします。どなたか、ポーセがほんとうにどうなったか、知っているかたはありませんか。チュンセがさっぱりごはんもたべないで毎日考えてばかりいるのです。

ポーセはチュンセの小さな妹ですが、チュンセはいつもいじ悪ばかりしました。ポーセがせっかく植えて、水をかけた小さな桃の木になめくじをつけておいたり、ポーセの靴に甲虫(かぶとむし)を飼って、ふた月もそれをかくしておいたりしました。ある日などはチュンセがくるみの木にのぼって青い実を落としていましたら、ポーセが小さな卵形のあたまをぬれたハンケチで包んで、「兄さん、くるみちょうだい。」なんて言いながらたいへんよろこんで出て来ましたのに、チュンセは、「そら、とってごらん。」とまるで怒ったような声で言ってわざと頭に実を投げつけるようにして泣かせて帰しました。

ところがポーセは、十一月ころ、俄(にわ)かに病気になったのです。おっかさんもひどく心配そうでした。チュンセが行って見ますと、ポーセの小さな唇は何だか青くなって、目ばかり大きくあいて、いっぱいに涙をためていました。チュンセは声が出ないのを無理にこらえて言いました。「おいら、何でもくれてやるぜ。あの銅の歯車だって欲しきゃやるよ。」けれどもポーセは黙(だま)って頭をふりました。息ばかりすうすうきこえました。

チュンセは困ってしばらくもじもじしていましたが思い切ってもう一ぺん言いました。「雨雪とって来てやろか。」「うん。」ポーセがやっと答えました。チュンセはまるで鉄砲丸(てっぽうだま)のようにおもてに飛び出しました。おもてはうすくらくてみぞれがびちょびちょ降っていました。チュンセは松の木の枝から雨雪を両手にいっぱいとって来ました。それからポーセの枕もとに行って皿にそれを置き、さじでポーセにたべさせました。ポーセはおいしそうに三さじばかり喰べましたら急にぐたっとなっていきをつかなくなりました。おっかさんがおどろいて泣いてポーセの名を呼びながら一生懸命ゆすぶりましたけれども、ポーセの汗でしめった髪の頭はただゆすぶられた通りうごくだけでした。チュンセはげんこを目にあてて、虎の子供のような声で泣きました。

　それから春になってチュンセは学校も六年でさがってしまいました。チュンセはもう働いているのです。春に、くるみの木がみんな青い房のようなものを下げているでしょう。その下にしゃがんで、チュンセはキャベジの床をつくっていました。そしたら土の中から一ぴきのうすい緑いろの小さな蛙がよろよろと這って出てきました。

「かえるなんざ、潰れちまえ。」チュンセは大きな稜石でいきなりそれを叩きました。

　それからひるすぎ、枯れ草の中でチュンセがとろとろやすんでいましたら、いつかチュンセはぼおっと黄いろな野原のようなところを歩いていくようにおもいました。すると向こうにポーセがしもやけのある小さな手で目をこすりながら立っていてぼんやりチュンセに言いました。

「兄さんなぜあたいの青いおべべ裂いたの。」チュンセはびっくりしてはね起きて一生懸命そこらをさがしたり考えたりしてみましたがなんにもわからないのです。どなたかポーセを知っているかたはないでしょうか。けれども私にこの手紙を言いつけたひとが言っていました。

「チュンセはポーセをたずねることはむだだ。なぜならどんなこどもでも、また、はたけではたらいているひとでも、汽車の中で苹果(りんご)をたべているひとでも、また歌う鳥や歌わない鳥、青や黒やのあらゆる魚、あらゆるけものも、あらゆる虫も、みんな、みんな、むかしからのおたがいのきょうだいなのだから。チュンセがもしもポーセをほんとうにかあいそうにおもうなら大きな勇気を出してすべてのいきもののほんとうの幸福をさがさなければいけない。それはナムサダルマプフンダリカサスートラというものである。チュンセがもし勇気のあるほんとうの男の子ならなぜまっしぐらにそれに向かって進まないか。」それからこのひとはまた言いました。「チュンセはいいこどもだ。さぁおまえはチュンセやポーセやみんなのために、ポーセをたずねる手紙を出すがいい。」そこで私はいまこれをあなたに送るのです。

「手紙」と題された文は、ぜんぶで四つあります。いずれも無題で活版(かっぱん)印刷され、匿名(とくめい)で郵送されたり、学校の下駄箱に入れられたりしました。

ここに紹介した「四」は、大正12（1923）年、賢治27歳のころに配布されたと考えられるもので、前年の妹トシの死をテーマにしています。賢治はこの手紙のなかで、ひとも鳥も、魚もけものも、あらゆる虫も、「むかしからのおたがひのきやうだい」なのだと語ります。ちなみに「ナムサダルマプフンダリカサスートラ」とは、「南無妙法蓮華経（なむみょうほうれんげきょう）」を意味するサンスクリット語に、賢治が独自に読み方を当てたとされています。

賢治は、いのちは輪廻転生（りんねてんしょう）するものと考えていたのでしょう。たいせつなひとが、いまは目の前の小さなアマガエルに生まれ変わっているかも知れないと思えば、決して殺生（せっしょう）はできません。そのいっぽうで、あらゆる生きものは「食う食われる」という関係でつながっています。どんなにたいせつなひとの生まれ代わりでも、アマガエルは食べられて、いともたやすく消滅してゆくいのちなのです。

輪廻転生と食物連鎖。

いずれもいのちのつながりですが、前者は精神的、後者は物質的です。そして、輪廻転生の考えを当てはめて食物連鎖を見ると、食うものと食われるもののいのちの重みが、限りなく平等になってゆきます。小鳥に食べられる羽虫は、つぎには生まれ変わって小鳥を食べる鷹になるかも知れません。その逆もあるでしょう。わたしたちが毎日の食事で口にしているいのちも、誰かの生まれ代わりかも知れないのです。

賢治は人生の一時期に菜食を実行しましたが、生涯（しょうがい）それを貫（つらぬ）いたわけではありません。花巻市にある「やぶ屋」で、天ぷら蕎麦（そば）と三ツ矢サイダーという組み合わせを好んだのは有名です。

どのいのちも等しく重いと考えながら、他のいのちをいただかなければ生きてゆけないという事実を、賢治はどう受け止めていたのでしょう。

「よだかの星」のなかで、よだかが弟のかわせみに言うせりふは、ごくシンプルですが、ひとつの答えを提示しているものと思われます。

「そしてお前もね、どうしてもとらなければならない時のほかはいたづらにお魚を取ったりしないやうにして呉（く）れ。」

さて、この章のおしまいに〈落葉松の方陣は〉という心象スケッチの一節を紹介します。

「あのありふれた百が単位の羽虫の輩（やから）が／みんな小さな弧光燈（アークライト）といふやうに／さかさになったり斜めになったり／自由自在に一生けんめい飛んでゐる／それもああまで本気に飛べば／公算論のいかものなどは／もう誰にしろ持ち出せない／むしろ情に富むものは／一ぴきごとに伝記を書くといふかもしれん」

無数に舞う羽虫は、鳥などのエサとなって生態系を支えています。食べられて食べられて、生き残る虫はごくわずかです。食べられても食べられても、どれかは生き残るために、虫はたくさん生まれてくるのです。彼らにとって、生き残ることは奇跡です。「公算論のいかもの」とは、彼らの生き残る割合を計算した式のことでしょう。

そんな虫たちに、賢治は言うのです。一匹ごとに伝記を書こう、と。それが賢治の、虫やカエルのおはなしです。

第三章　どうぶつ

賢治は教え子さんに、「家畜なくして農業なし」と言い、家畜の糞（ふん）を有機肥料にして田畑に入れることを強く勧めました。「農業は自然を相手にする尊い仕事だ」と説いて、自然をよく見て参考にするようにと教えました。

鹿踊りのはじまり

そこらがまだまるっきり、丈高い草や黒い林のままだったとき、嘉十はおじいさんたちと北上川の東から西へ移ってきて、粟や稗を作っていました。

あるとき嘉十は、栗の木から落ちて左の膝を悪くし、西の山のなかの湯の湧くところに行って、小屋をかけて泊まって療すことにしました。天気のいい日に、糧と味噌と鍋とを背負い、すすきの穂のなかを、ゆっくりゆっくりと歩いていったのです。

山の木の一本一本が見分けられるところまで来たとき、嘉十は芝原で、栃と栗との団子を出して食べはじめました。ところがあんまり歩いたあとは、どうもお腹がいっぱいのような気がするのです。嘉十は栃の団子を栃の実くらい残し、「こいづは鹿さ、けでやべか。それ、鹿、来て食。」と言って、それをうめばちそうの花の下に置きました。

少しして、嘉十は手ぬぐいを忘れたのに気づいて、急いで引き返しました。けれどもそこには、すでに鹿の気配がしていました。「はあ、鹿だち、すぐに来たもな。」ひとむらのすすきの隙間から、嘉十はちょっと顔を出して、びっくりしてまた引っこめました。六匹ばかりの鹿が、ぐるぐるぐるぐる輪になって回っていたのです。鹿の毛並がことにその日はりっぱでした。

嘉十は喜んで、そっと片膝をついてそれに見とれました。鹿は大きな輪を作って、ぐるくるぐるくる回っていましたが、よく見るとどの鹿も、輪のまん中に気をとられているようでした。そこにはもちろん、嘉十の栃の団子がひとかけ置いてあったのでしたが、鹿どもの気にかけているのは、そのとなりの草の上に「く」の字になって落ちている、白い手ぬぐいらしいのでした。嘉十は痛い足をそっと手で曲げ、苔の上にきちんと座りました。

鹿のめぐりはだんだんゆるやかになり、みんなは代わるがわる前脚を輪の中に出して、いまにも駆けだして行きそうにしては、びっくりしたようにまた引っこめて、とっとっとっとっと静かに走るのでした。その足音は、野原の黒土の底の方まで響きました。それから鹿どもは回るのをやめて、みんな手ぬぐいのこちら側に来て立ちました。

嘉十はにわかに耳がきいんと鳴りました。それからがたがた震えました。鹿どもの風に揺れる草穂のような気持ちが、波になって伝わってきたのでした。嘉十はほんとうに、自分の耳を疑いました。それは、鹿の言葉が聞こえてきたからです。

「じゃ、おれ行って見て来べが。」「うんにゃ、危ないじゃや。も少し見でべ。」「いつだがの狐みだいに、口発破などさかかっては、つまらないもな。」「そだそだ、まったぐだ。」「生ぎ物だかも知れないいじゃい。」「うん。生ぎものらしいどごもあるな。」

そのうちにとうとう一匹が、いかにも決心したらしく、背中をまっすぐにしてまん中へ進み出ました。進んでいった鹿は、首をあらんかぎり伸ばし、四本の脚を引きしめ引きしめ、そろりそろりと手ぬぐいに近づいて行きましたが、にわかにひどく飛び上がって、一目散に逃げ帰ってきました。まわりの五匹も、その鹿の前に集まりました。

「なじょだった。なにだった、あの白い長いやづは。」「縦に皺の寄ったもんだっけな。」「そだら生ぎものでながべ。やっぱり蕈などだべが。毒蕈だべ。」「うんにゃ。やっぱり生ぎものらし。」

「そうか。生ぎもので皺うんと寄ってれば、年老りだな。」「うん、年老りの番兵だ。ううははは。」

「こんどおれ行って見べが。」「行ってみろ、大丈夫だ。」

　そこでまた一匹が、そろりそろりと進んでいきました。二匹目は、四本の脚を集めて背中を円くしたり、そっと伸ばしたりして進みました。そしてとうとう手ぬぐいのひと足こっちまで行って、匂いをかいでいましたが、にわかに跳ね上がって逃げてきました。

「なして逃げで来た。」「かじるべとしたようだったもさ。」「ぜんたい何だっけ。」「わがらないな。とにかく白ど青ど、両方のぶちだ。」「匂いはなじょだ。」「柳の葉みだいな匂いだな。」「息吐いでるか、息。」「さあ、それは気つけねがった。」「こんだ、おれ行って見べが。」「行ってみろ。」

　三匹目の鹿が、手ぬぐいに鼻先を伸ばし、竿立ちになって帰ってきました。

「なして逃げで来た。」「気味悪ぐなってよ。」「息吐いでるが。」「さあ、口もないようだっけな。」

「頭あるが。」「頭もよくわがらないがったな。」「そだらこんだ、おれ行って見べが。」

　四番目の鹿が出ていきました。これもびくびくものです。それでも手ぬぐいに鼻を押しつけて、それから急いで引っこめて帰ってきました。

「おう、柔っけもんだぞ。」「泥のようにが。」「うんにゃ。」「草のようにが。」「うんにゃ。」「ご、、、、まざいの毛のようにが。」「あれよりゃ、も少し硬っぱしな。」「何だべ。」「とにかぐ生ぎもんだ。」

「やっぱりそうだが。」「うん、汗臭いも。」「おれも行ってみるべか。」

　五番目の鹿はおどけもので、舌を出して手ぬぐいをべろりとなめてから、にわかに怖くなったとみえて、風のように飛んで帰ってきて、「味ないがったな。」と言いました。

そしておしまいの一匹は、もう心配ないというふうに、いきなり手ぬぐいをくわえて戻ってきました。「おう、うまい、うまい。」「きっと、こいづは大きななめくじの干からびだのだな。」

「さあ、いいが、おれ歌うたうはんて、みんな回れ。」

その鹿は歌いだし、みんなは手ぬぐいのまわりをぐるぐる回りはじめました。

「野原のまん中の　めっけもの　すっこんすっこの　栃団子……。」走りながら、鹿はたびたび手ぬぐいを角で突いたり足で踏んだりしました。嘉十の手ぬぐいは泥がついて、ところどころ穴さえ開きました。そこで鹿のめぐりはゆるやかになりました。

「おう、こんだ団子食うばかりだじょ。」「おう、煮だ団子だじょ。」「おう、まん円っけじょ。」「おう、はんぐはぐ。」「おう、すっこんすっこ。」「おう、けっこ。」

鹿は四方から栃の団子を囲んで集まり、いちばんはじめに手ぬぐいに進んだ鹿から一口ずつ食べました。それからまた輪になって回りました。太陽はこのとき、はんのきの梢にかかって、少し黄色に輝いていました。鹿は一列に太陽に向かい、拝むようにして立ちました。

右端の鹿が細い声で歌いました。「はんの木の　みどりみじんの葉の向ごさ　じゃらんじゃらんの　お日さんかがる。」二番目の鹿が「お日さんを　背中さしょえば　はんの木も　くだけで光る　鉄のかんがみ。」と歌い、三番目、四番目の鹿も歌って、五番日の鹿は「ぎんがぎがの　すすぎの底の日暮れかだ　苔の野原を　蟻こも行がず。」と、六番目は「ぎんがぎがのすぎの底でそっこりと　咲ぐうめばぢの　愛(え)どしおえどし。」と、首をりんと上げて歌いました。鹿はそれからみんな、短く笛のように鳴いて跳ね上がり、激しく回りました。

嘉十はもう、まったく自分と鹿との違いを忘れて、「ホウ、やれ、やれい。」と叫(さけ)びながら、すすきの陰から飛び出しました。

鹿は驚いて、一度に竿(さお)のように立ち上がり、それから疾風(はやて)に吹かれた木(こ)の葉(は)のように、体を斜めにして逃げ出しました。銀のすすきの波を分け、はるかにはるかに逃げて行き、その通ったあとのすすきは、静かな湖の水脈のように、いつまでもぎらぎら光りました。

それから、そうそう、苔の野原の夕日の中で、わたくしはこのはなしを、すきとおった秋の風から聞いたのです。

岩手県の南部と宮城県の北部に伝わる「鹿踊(ししおどり)」は、シカを模した頭を被(かぶ)り、長いササラを背負って、勇ましく舞い踊る伝統芸能です。賢治作品のなかで、その名はまず、『春と修羅』に収められた心象スケッチ「高原」に登場します。

「海だべがど　おら　おもたれば／やつぱり光る山だたぢやい／ホウ／髪毛(かみけ)　風吹けば／鹿踊

りだぢやい」

舞台と推定される種山ヶ原に立ち、青く連なる山々を見て、「海だべが」と言ったのは、誰でしょう。賢治はその髪の毛がほつれて風になびくのを見て、「まるで鹿踊のようだ」と歓声を上げています。鹿踊の頭につけられた毛は長く、声の主はおそらく女性です。添えられた日づけは１９２２年6月27日。25歳の賢治が大畠ヤスと恋をしていた時期に当たります。賢治にとって鹿踊は、優しくも切ない思い出とともにあるのでした。

「鹿踊りのはじまり」が収められた『注文の多い料理店』は、大正13（１９２４）年の12月、友人たちの協力のもとに出版されました。ただし、その「序」の日づけが大正12年12月20日になっていることから、賢治としては前年の出版を目指していたのでしょう。アメリカ在住の男性との縁談を承諾したヤスは、大正13年の6月、シカゴに渡ってしまいます。その年の4月20日に出したとされる『春と修羅』は、ヤスの手に渡すことができた可能性がありますが、『注文の多い料理店』は、ついに間に合わなかったと考えられます。

「鹿踊りのはじまり」に描かれるシカの動きは、鹿踊をよく模しています。と同時にリアルであり、賢治はどこかで実際にニホンジカの姿を見たものと想像されます。大正時代、岩手県のシカは狩猟によりその数を減らしており、それほど身近ではなかったはずです。そのせいでしょうか、ごく身近なアマガエルに対しては、遠慮なく擬人化し、自在にひとの言葉を語らせていた賢治が、シカに対しては、膝を正してこころの耳を澄ましています。

「鹿どもの風にゆれる草穂のやうな気もちが、波になつて伝はつて来たのでした」

との一文からは、ひとの言葉を持たぬ自然界の生きものと、こころを通わせることのできる感性を持ちたいと願う賢治の気持ちが、それこそ波になって伝わってきます。

賢治の童話が、生前にあまり評価されなかった理由のひとつとして、方言が多用されていることが挙げられています。しかしこのおはなしを読むと、方言での会話は安易な擬人化を避け、シカたちの領域を侵さないための、一種のバリアとして働いていることが分かります。冒頭に紹介した「高原」もそうですが、方言で書き残された賢治の言葉には、そのときの風や光、感情までもが鮮やかに封じこめられ、こころの聖域と呼びたいような世界が保たれているように感じます。岩手の読者には、賢治の方言を声に出して読んでみることをお勧めします。

ちなみに「ごまざい」とはガガイモの方言で、その実のなかには、細くしなやかな冠毛を装った種子がびっしりとできます。「うめばち」すなわちウメバチソウは秋の草原で、霜が降るぎりぎりまで、冷気のなかで青白い花を咲かせます。

『注文の多い料理店』が出たとき、賢治ははりきって宣伝チラシを自作しています。それによると「鹿踊りのはじまり」には、「まだ剖れない巨きな愛の感情です。（中略）ひとは自分と鹿との区別を忘れ、いつしよに踊らうとさへします」と記されています。

なめとこ山の熊

なめとこ山の熊のことなら面白い。なめとこ山は大きな山だ。一年のうちたいていの日は、冷たい霧(きり)か雲(くも)かを吸ったり吐(は)いたりしている。まわりもみんな、青黒いなまこや海坊主(うみぼうず)のような山だ。そして昔は、そのへんには熊がごちゃごちゃいたそうだ。

ほんとうは、なめとこ山も熊の胆(い)も、私は自分で見たのではない。人から聞いたり考えたりしたことばかりだ。とにかくなめとこ山の熊の胆は、名高いものになっている。

鉛(なまり)の湯の入り口になめとこ山の熊の胆ありとの昔からの看板もかかっている。だからもう熊は、なめとこ山で赤い舌をべろべろ出して谷を渡ったりしていることは確かだ。熊捕(と)り名人の淵沢小十郎(ふちざわこじゅうろう)が、それを片っ端(かたっぱし)から捕ったのだ。

小十郎は、赤黒いごりごりしたおやじで、胴は小さな臼(うす)ぐらいあったし、手は大きく厚かった。夏なら菩提樹(マダ)の皮でこしらえたけらを着て、山刀と重い鉄砲(てっぽう)を持ち、たくましい黄色な犬を連れて、なめとこ山を縦横に歩いた。木のいっぱい茂った谷を、まるで自分の座敷の中を歩くというふうに、のっしのっしとやって行く。

そこであんまり一ぺんに言ってしまって悪いけれども、なめとこ山あたりの熊は、小十郎のことを好きなのだ。その証拠に熊どもは、小十郎が通るときは、黙って高いところから、面白(おもしろ)そうに見送っているのだ。けれども熊どもだって、すっかり小十郎とぶつかって、犬が火のついたまりのようになって飛びつき、小十郎が変に目を光らせて鉄砲を構えたりするのは、好きではなかった。たいていの熊は、迷惑そうに手をふって、そんなことをされるのを断った。けれども熊もいろいろだから、気性の激しい熊なら、ごうごうと吠えて立ち上がり、両手を出してかかって行く。そして小十郎は、その月の輪をめがけてズドンとやるのだった。

「熊。おれはてまえを憎(にく)くて殺したのでねえんだぞ。おれも商売ならてめえも撃たなきゃならねえ。てめえも熊に生まれたが因果(いんが)なら、おれもこんな商売が因果だ。この次には熊なんぞに生まれなよ。」

それから小十郎は、懐(ふところ)から小刀を出して熊の皮をすうっと裂(さ)くのだった。そのあとの景色は僕は大きらいだ。けれどもおしまい小十郎が、熊の胆を背中の木の櫃(ひつ)に入れ、毛皮を谷で洗って丸め、自分もぐんなりしたふうで、谷を下っていくのは確かなのだ。

小十郎はもう、熊の言葉だって分かるような気がした。ある年の春早く、小十郎は、母熊と、やっと一歳になるかならないような子熊とが、淡(あわ)い月光のなかで、向こうの谷をしげしげ見つめているのに会った。すると子熊が甘えるように言ったのだ。

「どうしても雪だよ、おっかさん。谷のこっち側だけ白くなっているんだもの。」「いいえ、おっかさんは薊(あざみ)の芽を見に昨日あすこを通ったばかりです。」「雪でなきゃ霜(しも)だねえ、きっとそうだ。」

「お母さまは分かったよ、あれねえ、ひきざくらの花。」「なぁんだ、ひきざくらの花だい。僕知ってるよ。」「いいえ、お前まだ見たことありません。」「知ってるよ。僕この前とって来たもの。」

「いいえ、お前とって来たのきささげの花でしょう。」

小十郎は胸がいっぱいになって、音を立てずに、こっそりこっそり戻り始めた。風よあっちへ行くな行くなと思いながら、後退(あとずさ)りした。

ところがこの小十郎が、町へ熊の皮と胆を売りに行くときの惨めさといったら、まったく気の毒だった。町の中ほどに大きな荒物屋があって、笊だの砂糖だの、カメレオン印の煙草だの、それからガラスの蠅とりまで並べていたのだ。小十郎がこの店の敷居をまたぐと、店ではまた来たか、と笑っている。次の間には唐金の火鉢を出して主人がどっかりと座っていた。「はあ、どうも、今日は何のご用です。」「熊の皮、また少し持ってきたます。」「熊の皮か。今日はまずいいます。」「旦那さん、そう言わないで買ってくんなさい。安くてもいいます。」「なんぼ安くても要らないます。」

　小十郎はしばらくたってから、まるでしわがれた声で「旦那さん、お願いだます。どうか何ぼでもいいはんて買ってくなぃ。」と言い、主人は顔がにかにかするのを隠しながら「いいます。」とうなずくと、店の者に「じゃ、小十郎さんさ、二円あげろじゃ。」と言いつける。僕はしばらくの間でも、あんな立派な小十郎が二度と面も見たくないような嫌なやつにうまくやられることを書いたのが癪に障ってたまらない。

　ある夏、おかしなことが起こった。小十郎が熊に鉄砲を突きつけると、熊は飛びかかろうか、そのまま撃たれてやろうかと思案しているらしかったが、いきなり両手をあげて叫んだのだ。「お前は何が欲しくておれを殺すんだ。」「ああ、おれはお前の毛皮と、胆のほかは何もいらない。それも町へ持っていって高く売れるのではないし、ほんとうに気の毒だけれども仕方がない。けれどもお前にそんなことを言われると、もうおれなどは栗かしだのみでも食っていて、それで死ぬなら死んでもいいような気がするよ。」「もう二年ばかり待ってくれ。おれも死ぬのはもう構わないようなもんだけれども、少しし残した仕事もあるし、ただ二年だけ待ってくれ。二年目にはおれもお前の家の前でちゃんと死んでいてやるから。」

それからちょうど二年目のある朝、小十郎が外へ出てみると、その熊が垣根の下のところで、口からいっぱいに血を吐いて倒れていた。小十郎は思わず、拝むようにした。

一月のある日のこと、小十郎は家を出るとき、「婆さま。おれも年老ったでばな、今朝は生まれてはじめて水さ入るの嫌んたような気がするじゃ。」と言った。九十になる小十郎の母は、ちょっと小十郎を見て笑うか泣くような顔をした。子どもらは代わる代わる顔を出して、「爺さん、早くお帰りや。」と言って笑った。小十郎は空を見上げ、それから孫たちの方を向いて、「行ってくるぢゃい。」と言った。

小十郎は、谷を遡り、まばゆい雪のなかを登っていった。犬も滑りそうになりながら登った。やっと崖を登りきったところで休んでいると、いきなり犬が吠えだした。びっくりして後ろを見ると、夏のうちに目をつけておいた大きな熊が、両足で立ってこっちへかかって来たのだ。さすがの小十郎も顔色を変え、鉄砲を撃ったが、熊は少しも倒れないで嵐のようにやって来た。と思うと、小十郎はがあんと頭が鳴って、まわりがまっ青になった。それから遠くで、

「おお小十郎、お前を殺すつもりはなかった。」

という言葉を聞いた。もうおれは死んだと、小十郎は思った。ちらちらちらちら、青い星の

ような光が、そこらいちめんに見えた。「これが死んだしるしだ。死ぬときに見る火だ。熊ども、許せよ。」それからあとの小十郎の心持ちは、もう私には分からない。

その三日後の晩だった。栗の木に囲まれた山の上の平らなところに、黒い大きなものがたくさん輪になって集まって、じっと雪にひれ伏(ふ)したまま、いつまでも動かなかった。そしてそのいちばん高いところに小十郎の死骸(しがい)が、半分座ったようになって置かれていた。思いなしか、その死んで凍(こご)えてしまった小十郎の顔は、まるで生きているときのように冴え冴え(さざ)として、何か笑っているようにさえ見えたのだ。

自らの自然観察の結果をおはなしに散りばめている賢治ですが、「なめとこ山の熊」については、生真面目にこう断っています。

「ほんたうはなめとこ山も熊の胆も私は自分で見たのではない。人から聞いたり考へたりしたことばかりだ」

賢治は、このおはなしの舞台の近くを歩いたことがあるはずです。それでもこのように、これは「聞き書き」なのだと念を押しているのは、ここに書かれているのは、少し歩いたくらいでは知り得ない、深い内容なのだと言いたいのだと思います。

主人公の淵沢小十郎は、東北地方で伝統的な狩猟法を守ってきた「マタギ」と呼ばれる猟師のうち、花巻の豊沢（とよさわ）地区に実在した人物をモデルにしたとされています。また「なめとこ山」は、花巻の西北に位置する８６０メートルの峰ですが、当初は地図上では確認できておらず、平成８（１９９６）年、江戸時代の古地図に「ナメトコ山」と記載されているのが見つかり、地図にも山名が記されました。

このおはなしのなかで強く印象に残るのは、母子熊の会話でしょう。雪のように見える「ひきざくら」とは、おそらくはコブシのことで、岩手では「田打ちをするころに咲く」という意味の「たうちざくら」とも呼ばれています。気になるのは、子熊が持ってきた花は「きさゝげ」でしょうと母熊が指摘するところです。

キササゲは、中国原産の樹木です。古くから栽培され、荒れ地に野生化していたりするものの、むしろ街路樹（がいろじゅ）として植栽（しょくさい）されているのを、よく見ます。なめとこ山にすむ熊の子が、キササゲを見たとすれば、それは人里に下りていったことを暗示します。

ツキノワグマのメスは、冬眠の穴のなかで、ごく小さな子熊を出産します。生まれるのはふつう2頭で、2年から3年を母熊とともに過ごします。おはなしのなかで会話している子熊は前年の春に生まれていて、夏にキササゲの花を見たのでしょう。

賢治がこのおはなしを書いたのは昭和２（１９２７）年ごろのことで、ツキノワグマをはじめとする動物たちの被害は、小十郎のようなマタギの存在によって低く抑えられていたものと思われます。しかしいまでは、マタギはおろかハンターの数が減るとともに、山間の地域では過疎化が進み、山と里との境界が曖昧になってしまいました。そのためツキノワグマはなわばりを広げ、人里へ出没するようになりました。

子熊にキササゲを見たことがあると語らせるとは、賢治はまるで、ツキノワグマの未来を予見していたかのようです。そしてわたしは、「二年目にはおれもおまへの家の前でちゃんと死んでゐてやるから」と小十郎に言った大きな熊は、いったい２年のあいだに何をしたかったのだろう、と考えをめぐらせずにはいられません。

人里に出没するツキノワグマの被害について、出没した個体を駆除しても、次々と新たな個体に入れ替わるだけで、本質的な対策にはならない、という専門家の意見があります。山のふもとの集落では、藪払いを徹底して見通しを良くし、電気柵を張るなどして、山と里との境界を明瞭にすることが重要で、里に立ち入ってはいけないことを、きちんと理解した賢い個体が１頭いれば、むやみに駆除するよりも有効な場合があるのだそうです。

おはなしのなかの大きな熊は、２年のあいだに子熊を賢く育てたかったのかも知れません。ツキノワグマは本来、雑食性の穏やかな動物です。彼らと共存するために、山と野生動物を深く理解した専門職が必要です。

フランドン農学校の豚

フランドン農学校に、一頭の豚が飼われていた。さまざまなものを餌として与えられていたが、決して嫌だとも思わなかった。かえって幸せを感じることもあったのだ。

というわけはその晩、化学を習った一年生の生徒が、不思議そうに豚の体を眺めていた。「豚というのは、水やスリッパや藁を食べて、それを上等な脂肪や肉にこしらえる。豚の体は、たとえば生きた一つの触媒だ。無機体では白金だし有機体では豚なのだ。」豚は、自分の名が白金と並べられたのを聞いた。白金が一匁三十円することも、よく知っていたものだから、自分の体が二十貫でいくらになるか、前肢をきくっと曲げて勘定した。実に六十万円だ。

ところが豚の幸福も、長くは続かなかった。農学校の畜産の教師が毎日やって来て、鋭い目でじっと豚を見る。「もう少しきちんと窓を閉めて、部屋じゅう暗くしなくては、脂がうまくかからんじゃないか。」教師は若い助手にこう言った。豚はこれをすっかり聴いた。そしてたいへん嫌になった。これらはみんな畜産の教師の語気について、豚が直感したのである。（とにかくあいつら二人は、おれに食べ物はよこすが、ときどきまるで北極の空のような目をして、おれの体をじっと見る。実に何ともたまらない、とりつきようもない厳しい心で、おれのことを考えている。そのことは恐い、ああ恐い）。

ちょうどその豚が殺される前の月になって、一つの布告がその国の王から出された。それは家畜撲殺同意調印法といい、家畜を殺そうとする者は誰でも、その家畜から死亡承諾書を受けとること、またその承諾書には家畜の調印を要すると、こういう内容だったのだ。

フランドンの外来ヨークシャイアも、活版刷でできているその死亡証書を見た。ある日のこと、農学校の校長が大きな黄色い紙を持ち、豚のところにやって来たのだ。豚は語学もでき、舌も柔らかで素質もあったので、ごく流暢な人間語で静かに挨拶をした。「校長さん、いいお天気でございます。」「うんまあ、天気はいいね。」豚は何だか、この言葉が耳に入って、咽喉につかえたのだ。それから校長と豚は、しばらくしいんとしてにらみ合っていたが、とうとう校長は諦めて、例の証書を小脇に抱えたまま、向こうに行ってしまった。

次の日のこと、また畜産の教師と助手がやって来て、いつもの鋭い目つきで豚を見つめた。「もう明日だって明後日だっていいんだから、早く承諾書をとりゃあいいんだ。昨日、校長は確かにこっちの方へ来たんだが。」「はい、お入りのようでした。」「それではもうできてるかしら。」「はあ。」「それからやる前の日には、飼料をやらんでくれ」。

その晩、豚は神経が興奮して、よく眠ることができなかった。(承諾書というのは何の承諾書だろう、いったい何をしろと言うのだ。やる前の日って何だろう。いったい何をされるんだろう。ああこれはつらいつらい。)ところが次の朝、寄宿舎の生徒が三人、げたげた笑って小屋へ来た。「いつだろうなあ、早く見たいなあ。」「僕は見たくないよ。」「早いといいなあ。」三人が小屋を出たあと、豚はまた苦しんだ。(見たい、見たくない、早いといい。おお恐い。恐い。)

そしてその煩悶の最中に、また校長がやって来た。「実はね、この世界に生きているものは、みんな死ななきゃいかんのだ。」「はあ。」「だからお前も私もいつか、きっと死ぬのに決まっている。」「はあ。」「そこで相談だがね。」「はあ。」「つまりお前はどうせ死ななきゃいけないから、その死ぬときはもう潔く、いつでも死にますと、ここのところへ前肢の爪印を一つ押して貰いたい。それだけのことだ。」豚は眉を寄せ、突きつけられた証書をじっと眺めた。つくづくと証書の文句を読むと、まったく怖かった。豚はまるで泣き声でこう言った。

「いつにてもということは、今日でもということですか。」校長はぎくっとしたが、「まあそうだ。けれども今日だなんて、そんなことは決してないよ。」「私が一人で死ぬのですか。」「うん。」「いやです、いやです、そんならいやです。」「いやかい。お前は恩知らずだ。犬猫にさえ劣った奴だ。」校長はぷんぷん怒って小屋を出ていった。「どうせ犬猫にははじめから劣ってますよう。わあ。」豚は口惜しさや悲しさが一気にこみあげてあらんかぎり泣きだした。

　次の日、畜産の教師がたいへん機嫌の悪い声で言った。「どうしたんだい。すてきに肉が落ちたじゃないか。」助手はしばらく考えて、「さあ、昨日の午後に校長がおいでになっただけでした。」と答えました。「校長？　そうかい。きっと承諾書をとろうとして、おじけさせちゃったんだな。おまけにきっと承諾書も、とり損ねたに違いない。」教師は実に口惜しそうに、歯をキリキリ鳴らし腕を組んでからまた言った。

「えい、仕方ない。窓をすっかり開けてくれ。それから外へ連れ出して、少し運動させるんだ。」それから豚は三日間、無理やり散歩をさせられた。胸は悲しみでいっぱいで、歩けば裂けるようだった。四日目に、畜産の教師と助手がやって来た。教師はちらっと豚を見て、手を振りながら助手に言う。「いけない、いけない。もうこいつは痩せるいっぽうなんだ。神経性栄養不良なんだ。肥育器を使うとしよう。おい、肥育器はあったろう。」「はい、ございます。」「こいつは縛っておきたまえ。いや、縛る前に承諾書をとらなくちゃ。」間もなく農学校長が、たいへん慌ててやって来た。「さあ、いい加減に判をつけ、つかないか。」なるほどこうして怒ってみると、校長なんてずいぶん怖いものなのだ。豚はすっかりおびえ、「つきます、つきます。」とかすれた声で答えると、短い前の右肢をきくっと上げ、黄色い紙にピタリと印を押す。「うはん。よろしい。これでいい。」校長は、機嫌を直してこう言った。

今度は助手が変てこな、ズック布でできた管を持ってきた。「そいじゃ豚を縛ってくれ。」教師が言って、豚の右側の足は二本とも、囲いの隅の二つの鉄の輪に縛られた。「それではこの端を、咽喉へ入れてやってくれ。」助手はズック布の管を豚の咽喉に押し込んだ。豚はもう、あらんかぎり泣いたりどなったりしたが、とうとう管をはめられて、咽喉の底だけで泣いていた。ズック布の管には食物が入れられ、豚がいくら呑むまいとしても、だんだん腹が重くなる。これが強制肥育というものだった。

そしてちょうど七日目に、畜産の教師と助手が豚の前に並んで立つ。「もういいようだ。ちょうどいい。ちょうど明日がいいだろう。」「承知いたしました。」豚はそれを、耳を澄まして聴いていた。（いよいよ明日だ。それがあの、証書の死亡ということか。いったんどんな事だろう、つらいつらい）豚は体を洗われ、きれいに換えられた敷き藁の上で、もう目を開けなかった。

翌朝、表に出された豚は、たくさんの生徒たちの、二本ずつの黒い足を夢のように見た。それからピカッと、白光のようなものが目の前で散らばり、そこから億百千の赤い火が水のように流れだし、天上の方ではキーンという鋭い音が鳴っているのを聴いた。豚のすぐ横には、畜産の教師が大きな鉄槌を持ち、息をはあはあ吐きながら少し青ざめて立ち、豚はその足もとで、確かにクンクンと二つだけ鼻を鳴らして、動かなくなった。

豚はきれいに洗われ、八切れにされた。月は黙って過ぎていく。夜はいよいよ冴えたのだ。

「なめとこ山の熊」では、自然界の動物のいのちをいただくのに、マタギが大きな役割を果たしていました。マタギは自然の掟を守り、しかるべき儀式をして祈りを捧げたのち、動物の体を無駄なく解体して、利用できる形にしてくれます。

いっぽう「フランドン農学校の豚」では、人間の手で育てられる動物のいのちを描いています。日本で養豚が始まったのは明治期で、イギリスから黒いバークシャー種と白いヨークシャー種が導入されました。フランドン農学校で飼われているのは「外来ヨークシャイヤ」です。ブタはイノシシが家畜化されたものですから、日本にいる在来イノシシと区別して、賢治はわざわざ「外来」であることを強調しています。

くり返し述べているように、賢治のおはなしにはノンフィクション的な要素があります。このおはなしも、農学校で飼育していた3～4頭のブタのうち1頭を殺し、豚汁にして全員で食べたという事実をもとにしています。

このとき手を下したのは校長で、畜産も担当していた畠山栄一郎です。畠山は豪放磊落な性格で、当時の校長室には職員室との仕切りもなく、賢治とはむしろ、波長があったとされています。ブタの屠殺および解体は、実習の意味合いもあったでしょうし、生徒はこのときの豚汁を「じつに美味かった」と記憶しています。

賢治は殺生を嫌っていましたが、畜産が岩手にとって非常に重要な産業であることは、農学校の教師としてじゅうぶんに理解していたはずです。賢治がこのおはなしで問題提起しようとしているのは、肉食そのものではなく、死が決まったそのときからの家畜の精神的、肉体的な苦痛であろうと思われます。

これは、いまでは「アニマルウェルフェア」と呼ばれている考えです。日本語では適切な訳語がなく英語のまま使われていますが、おおまかに言うと「動物がよく生きること」で、具体的には「動物が生活し、死亡するまでの身体的、心理的な状態」が「快適に保たれること」を意味します。国際的なガイドラインが策定されたのは21世紀になってからで、日本では

2020年に開催予定だった東京オリンピックに向け、提供する食肉についてアニマルウェルフェアの水準を上げようとする動きが高まりました。

「フランドン農学校の豚」を書いていた賢治には、百年後の日本がほんとうに見えていたかのようです。

わたしたちの多くは精肉されたものをマーケットで購入し、こころの痛みを覚えることなく口に入れています。けれどもやはり、いのちをいただくことへの感謝は忘れられません。

ちなみに、痩せてしまったヨークシャイヤが強制的に給餌されるシーンがありますが、少なくとも一般的な養豚において、のどに管を挿入して強制給餌をすることはありません。事実と創作が混在する賢治のおはなしのなかで、このシーンは創作に当たると言えましょう。強制給餌と言えば、ガチョウやアヒルの肝臓を肥大させて生産する「フォアグラ」が有名です。深読みを承知で言えば、賢治はここで、フォアグラへの嫌悪感を暗に示しているのかも知れません。

そうなると、賢治が「フランドン」という言葉をなぜ思いついたのか、フォアグラの最大の生産地「フランス」が無縁であるとは思えません。フォアグラは、フランスの美食の文化遺産とも言われますが、エスペラントでは「フランド(frand)」は「美味」を表し、「フランダ(franda)」は「美味しい」、「フランディ(frandi)」は「美食する」という意味になります。

注文の多い料理店

二人の若い紳士が、すっかりイギリスの兵隊の格好をし、ぴかぴかした鉄砲(てっぽう)をかついで、白熊のような犬を二匹連れて、山奥の木(こ)の葉(は)のかさかさしたところを歩いていました。

「鳥も獣(けもの)も、一匹もいやがらん。何でも構わないから、早くタンタアーンとやってみたいもんだなあ。」「鹿(しか)の黄色い横っ腹なんぞに、二、三発お見舞いしたら、ずいぶん痛快だろうねえ。」

それは、案内してきた専門の鉄砲打ちも、ちょっとまごついてどこかに行ってしまったほどの山奥でした。あんまり山が凄(すご)いので、その白熊のような犬も、二匹いっしょにめまいを起こして、死んでしまいました。

「じつにぼくは、二千四百円の損害(そんがい)だ」と一人の紳士がその犬のまぶたをちょっと返してみて言いました。「ぼくは二千八百円の損害だ。」と、もう一人がくやしそうに頭を曲げて言いました。

「ぼくはもう、戻ろうと思う。」「ぼくもちょうど寒くなったし腹は空(す)いてきたし、戻ろうと思う。」「なあに、昨日の宿屋で山鳥を十円も買って帰ればいい。」「兎(うさぎ)も出ていたね。そうすれば同じことだ。」

ところが困ったことには、どっちへ行けば戻れるのか、見当がつかなくなっていました。「どうも腹が空いた。」「ぼくもそうだ。もうあんまり歩きたくないな。」そのときふと後ろを見ますと、立派な一軒の西洋造りの家がありました。そして玄関には、「RESTAURANT　西洋料理店　WILDCAT　HOUSE　山猫軒」という札が出ていました。

「ちょうどいい。入ろうじゃないか。」二人は玄関に立ちました。玄関は白い瀬戸(せと)の煉瓦(れんが)造りで、硝子の開き戸には金文字で、「どなたもどうかお入りください。決してご遠慮はありません」と書かれていました。「この家は料理店だけれど、ただでご馳走するんだぜ。」なかはすぐ廊下になっていて、硝子戸の裏側にはやはり金文字で、「ことに肥ったお方や若いお方は、大歓迎いたします」とあります。大歓迎というので、二人は大喜びです。「ぼくらは両方兼ねてるから。」

　廊下を進んでいくと、今度は水色のペンキ塗りの扉がありました。その上には黄色い文字で、こう書いてあります。「当軒は注文の多い料理店ですから、どうかそこはご承知ください」。二人は扉を開けました。するとその裏側には、「注文はずいぶん多いでしょうが、どうか一々こらえてください」とあり、また扉が一つありました。そのわきには鏡がかかって、下には長い柄のついたブラシがあります。そして扉には赤い字で、「お客さまがた、ここで髪をきちんとして、それからはきものの泥を落としてください」。

　そこで二人は、「作法の厳しい家だ。よほど偉い人たちがたびたび来るんだ。」などと言いながら、髪をとかし靴の泥を落としました。そしたら、どうです。ブラシを戻すと、それがぼおっと霞んでなくなって、風がどうっと部屋の中に入ってきました。

　二人はびっくりして、扉をがたんと開けて、次の部屋に入りました。扉の内側には、またへんなことが書いてあります。「鉄砲と弾丸をここへ置いてください」。見ると横に黒い台がありました。二人は鉄砲を外し、それを台の上に置きました。今度は黒い扉がありました。「どうか帽子と外套と靴をおとりください」「仕方ない、とろう。よっぽど偉い人なんだ。奥に来ているのは、」二人は帽子とオーバーコートを釘にかけ、靴を脱いでぺたぺた歩いて次の扉の中に入りました。

扉の内側には、「ネクタイピン、カフスボタン、眼鏡、財布、その他金物類、ことに尖ったものは、みんなここに置いてください」と書いてあり、黒塗りの立派な金庫も口を開いて、鍵まで添えて置いてありました。「してみると、勘定は帰りにここで払うのだろうか。」二人はみんな金庫に入れて、ぱちんと錠をかけました。

少し行くとまた扉があって、その前に硝子の壺がありました。「壺のなかのクリームを顔や手足にすっかり塗ってください」。壺の中には牛乳のクリームが入っていました。二人はクリームを顔や手足に塗って、それでも余ったので、めいめいこっそり食べました。

次の扉の裏側には、「クリームをよく塗りましたか、耳にもよく塗りましたか」とあり、さらにその次の扉には、「料理はもうすぐできます。十五分とお待たせはいたしません。すぐ食べられます。早くあなたの頭に瓶のなかの香水をよくふりかけてください」とありました。ところがその香水は、酢のような匂いがするのでした。

二人は扉を開けて、次の部屋に入りました。扉の裏側には、「いろいろ注文が多くてうるさかったでしょう。お気の毒でした。もうこれだけです。どうか体じゅうに、壺のなかの塩をたくさんよくもみこんでください」。今度という今度は、二人ともぎょっとして顔を見合わせました。

「どうもおかしいぜ。」「たくさんの注文というのは、向こうがこっちに注文してるんだよ。」「その、つ、つ、つ、つまり、ぼ、ぼ、ぼくらが……。」逃げようとして後ろの扉を開けようとしましたが、そこはもう開きませんでした。

奥の方には、まだ一枚扉があって、「いや、わざわざご苦労です。たいへん結構にできました。さあさあお腹にお入りください」と書かれています。おまけに大きな鍵穴からは、二つの青い目玉がこっちを覗いています。「うわあ。」二人は泣きだしました。すると扉の向こうでは、こんなことを言っています。「だめだよ。もう気がついたよ。」「当たり前さ。親分の書きようがまずいんだ。」「呼ぼうか。おい、お客さんがた、早くいらっしゃい。菜っ葉も塩でもんでおきました。あとはあなた方とうまくとり合わせて、白いお皿にのせるだけです。」

二人はあんまり心を痛めたために、顔がまるでくしゃくしゃの紙くずのようになり、声もなく泣きました。そのとき後ろから「わん、わん、ぐわあ。」という声がして、あの白熊のような犬が二匹、部屋の中に入ってきました。鍵穴の目玉はなくなり、犬は扉にとびつきました。その向こうのまっ暗闇のなかで、「にゃあお。くわあ、ごろごろ。」という声がして、それからがさがさ鳴りました。

部屋は煙のように消え、二人は震えて草の中に立っていました。上着や靴やネクタイピンは、あちこちに散らばっています。「旦那あ。」と呼びながら専門の猟師が、草をざわざわ分けてやって来ました。二人はやっと安心しました。そして猟師の持ってきた団子を食べ、途中で十円だけ山鳥を買って、東京に帰りました。

　けれども、一ぺん紙くずのようになった顔だけは、東京に帰っても、お湯に入っても、もうもとの通りにはなりませんでした。


　「食う食われる」という関係に、さまざまなおはなしで言及（げんきゅう）している賢治ですが、日本で暮らすわたしたちが動物に「食われる」ことは、ニホンオオカミの絶滅をもってなくなりました。ニホンオオカミは、明治38（１９０５）年1月23日、奈良県で確認された若いオスが、最後の1頭とされています。

　オオカミが絶滅した原因には諸説ありますが、人間による駆除（くじょ）や捕獲が、大きな要因であることに間違いはないでしょう。そこで賢治は『注文の多い料理店』で、食われる恐怖を人間に体験させようと企画しました。このおはなしでは、賢治の創作はじつに大がかりで、「山猫軒」は舞台のセットを思わせます。

　賢治は「なめとこ山の熊」のなかで、誇り高いマタギが町の荒物屋（あらものや）で平身低頭（へいしんていとう）し、山からいただいた2枚の熊の毛皮を「二円」という金銭に換えるシーンを、激しい嫌悪感を露わにしながら書いていました。いっぽうこのおはなしに出てくる紳士たちは、自らの相棒である犬のいのちさえ、たちまちお金に換算します。しかもその金額が「二千円」を超えています。白熊のような犬の値段は、熊の毛皮の二千倍に設定されているのです。希少なペットが、驚くほど高額で取引されるのは、現代でもままあることではありますが。

さらに紳士たちは、獲物は「十円」も買って帰ればいいと言いながら、レストランに入ると、「たゞでご馳走するんだぜ」と喜びます。だいたいお金持ちというものは、妙なところでケチなのです。ぞっくりとお金を持ちながら、マタギの毛皮を買い叩く荒物屋に対するのと同じ怒りを、賢治はこのおはなしで発散させているかのようです。

ハンターが山猫に食われそうになるという舞台の裏で、賢治は徹底的に金銭の存在を強調しています。自然界は、「食う食われる」といういのちの連鎖によって循環していますが、人間社会はいつしか、金銭のつながりによって回るようになりました。

しかし自然やいのちは、本来、その価値を金銭で換算できるものではなく、経済の前に軽んじられてよいものでもありません。おしまい、ハンターたちの顔は「紙くづ」のようにくしゃくしゃになってしまいますが、紳士たちはまさしく、自然界では紙くず同然となる紙幣の化身だったように思われます。

ところで山猫軒のオーナーは、いったいどこから来たのでしょう。わたしは、人間がまだ金銭を持たず、狩猟採集生活をしていた「縄文時代」からと考えています。

岩手県陸前高田市にある中沢浜貝塚は、明治期から発掘されている有名な縄文遺跡ですが、ここからは多くの人骨とともに、さまざまな獣骨が出土しています。賢治のころには、獣骨の正確な同定はまだでしたが、そのなかには、かつて日本に生息していたオオヤマネコの骨も含まれています。

中沢浜貝塚のオオヤマネコは、牙などに穴が開けられ、ペンダントにされていました。オオカミが出土している縄文遺跡では、オオカミの牙もまた、装飾品にされていたようです。オオカミやオオヤマネコは、脅威であるとともに畏敬の対象でもありました。

オオカミがいなくなった結果、シカやイノシシの捕食者が、日本には存在しなくなりました。自然環境や農業への野生動物の影響が、もはや無視できぬほど大きくなっています。人間が食物連鎖の頂点として、動物たちを適切に捕獲し、共存しなければならない時代が訪れているのでしょう。そのいのちを、たいせつにいただく工夫が望まれます。

氷河鼠の毛皮

このおはなしは、ずいぶん北の寒いところから、きれぎれに風に吹き飛ばされて来たのです。十二月の二十六日の夜八時ベーリング行きの列車に乗ってイーハトブを発った人たちが、どんな目に遭ったか、きっとどなたも知りたいでしょう。これはそのおはなしです。

十二月二十六日のイーハトブは、ひどい吹雪でした。ところがそんなひどい吹雪でも、夜の八時になって停車場に行って見ますと、暖炉の火は愉快に赤く燃え、ベーリング行きの最大急行に乗る人たちは、もうその前にまっ黒に立っていました。何せ北極のじき近くまで行くのですから、着物はまるで厚い壁のくらい着こみ、馬油を塗った長靴をはいて、トランクにまで馬油を塗って、みんなほうほうしていました。

列車がイーハトブの停車場を離れ、席がすっかり決まりますと、みんなはつくづくと、同じ車の人たちの顔つきを見まわしました。一つの車には、十五人ばかりの旅客が乗っていましたが、そのまん中には、顔の赤い肥った紳士がどっしりと腰かけていました。その人は毛皮をいっぱいに着こんで、二人前の席をとり、アラスカ金の大きな指輪をはめ、十連発のぴかぴかする鉄砲を持って、声もきっと、よほどがらがらしているに違いないと思われたのです。

近くには似たようななりの紳士たちがいて、どの人もたいへん立派でしたが、まん中の人よりは少し痩せていました。向こうの隅には痩せた赤ひげの人が北極狐のようにきょとんとすまして腰をかけ、こちらの斜かいの窓のそばでは、帆布の上着を着た若い船乗りらしい男が、自分だけに聞こえるようなかすかな口笛を吹いていました。そのほか、陰気な顔を外套の襟に埋めた人、もう眠り始めた人など、三、四人がおりました。

汽車はときどきがたっと揺れながら、吹雪のなかを駆けました。しかしその吹雪も、だんだんに止んだのか、あるいは汽車が、吹雪の地域を抜けたのか、船乗りの青年が窓ガラスについた氷を削り落とすと、冷たい空にはすきっとした青い月が出ていました。じっと外を見ている若者の唇は笑うようにまた泣くようにかすかに動きました。それは何か月に話しかけているかとも思われたのです。

まん中の立派な紳士が、大きな声で役人らしい紳士に話しかけました。「向こうは寒いだろうね。」役人らしい紳士が答えました。「いや、それはもう当然です。」「どうだろう、わしの防寒の装備は大丈夫だろうか。」「どれくらい、ご支度なさいました。」「まあイーハトブの冬の着物の上に、ラッコ裏の内外套ね、海狸の中外套ね、黒狐表裏の外外套ね。」「大丈夫でしょう、ずいぶんいいお支度です。」「そうだろうか。それから北極兄弟商会パテントの緩慢燃焼外套ね。」「大丈夫です。」「それから氷河鼠の首のとこの毛皮だけでこさえた上着ね。」「大丈夫です。しかし氷河鼠の首のとこの毛皮は贅沢ですな。」「四百五十四分だ。どうだろう。こんなことで大丈夫だろうか。」「大丈夫です。」「わしはね、主に黒狐をとってくるつもりなんだ。」「そうですか。えらいですな。」「どうだ。祝杯を一杯やろうか。」紳士はウイスキーの瓶を出しました。

酔いが回った紳士は、そこらじゅうの人にくだを巻きはじめました。「君、君、こう見わたすと外套二枚ぐらいの人もずいぶんいるようだが、二枚ぐらいじゃだめだねえ。君は三枚だからいいね。けれども君、君、君のその外套は毛じゃないよ。君はさっきモロッコ狐とか言ったねえ。ちゃんと分かるよ。それはほんとの毛皮じゃないんだよ。」「失敬なことを言うな。」「いいや、確かにそれはにせものだ。絹糸で拵えたんだ。」「野蛮なやつだ。」にせものだと言われた紳士はすっかり怒って、それでもきまり悪そうに寝たふりをしました。

　氷河鼠の上着を持った大将は、唇をなめながら車中を見まわしました。「君、その窓のところのお若いの。君は船乗りかね。」若者は外を見ていました。「ふん、バースレーかね。失敬だが外套を一枚お貸し申すとしようじゃないか。」けれども若者は、そんな言葉は耳に入らないというふうでした。「おい若いお方。君、君、おいなぜ返事をせんか。無礼なやつだ。君は我輩を知らんか。わしはねイーハトブのタイチだよ。」

　こんな馬鹿げた大きな子どもの酔いどれを、もう誰も相手にしませんでした。夜がすっかり明けて、東側の窓がまばゆく光ったとき、汽車がにわかに停まりました。「どうしたんだろう。」みんなは顔を見合わせました。

　そのとき外ががやがやして、扉ががたっと開きました。すると赤ひげの男が、もの凄い顔をしてピストルをかまえて立っていました。そのあとから二十人ばかりの人、と言うよりは白熊か雪狐と言った方がいいような、毛皮を着た、と言うよりは皮が毛皮でできていると言った方がいいようなものが、へんな仮面をかぶったり、襟巻きを目まで上げたりして、ピストルを握って入ってきました。

「こいつがイーハトブのタイチだ。これから黒狐の毛皮九百枚とるとぬかすんだ。」先頭の赤ひげが言い、二番目の黒と白の斑（ぶち）の仮面をかぶった男がタイチの首をつかんで引きずり起こしました。「立て。さあ立て。嫌（いや）な面（つら）をしてるな。」残りのものは、油断なく車中にピストルを向けています。三番目は、きょろきょろあたりを見まわしました。「ほかにはないか。そこにいるやつも毛皮の外套を三枚持ってるぞ。」「違う違う。」赤ひげはせわしく手を振って言いました。「あれはほんとの毛皮じゃない。絹糸でこさえたんだ。」ゆうべその外套を、モロッコ狐だと言った人はへんな顔をしてしゃちほこばっていました。

「よし、さあでは引きあげ。」その連中は、じりじりと後退（あとずさ）りしていきました。そして一人ずつ出ていって、おしまいに赤ひげがこっちへピストルを向けながら、タイチを背中で押すようにして出ていこうとしました。そのとき、窓のところにいた帆布の上着の青年が、まるで天井（てんじょう）にぶつかるくらい飛び上がりました。ズドンとピストルが鳴りましたが、落ちたのは黄色の上着だけでした。そのときには、あの赤ひげが足をすくわれて倒され、青年は肥った紳士を車中に引っぱりこんで、赤ひげのピストルを握って立っていました。赤ひげがやっと立ち上がると、青年はその胸にピストルを突きつけ、外に向かって叫（さけ）びました。

「おい、熊ども。きさまらのしたことはもっともだ。けれどもおれたちだって仕方ない。生きているには、きものも着なきゃいけないんだ。お前たちが魚を捕（と）るようなもんだぜ。けれどもあんまり無法なことは、これから気をつけるように言うから、今度は許してくれ。汽車が動いたら、捕虜にしたこの男は返すから。」

「分かったよ。すぐ動かすよ。」外で熊どもが叫びました。氷をがりがり鳴らして汽車はまた動きだしました。「さあ怪我をしないように降りるんだ。」船乗りが言い、赤ひげは笑って、ちょっと船乗りの手を握って飛び降りました。「そら、ピストル。」船乗りはピストルを窓の外に放り出しました。

「あの赤ひげは、熊の方のスパイだったね。」誰かが言いました。氷山が、桃色や青に光って、窓の外にぞろっと並んでいました。


賢治はアニマルウェルフェアの概念を、日本でいち早く訴えた作家と言えます。「フランドン農学校の豚」では食肉について、「氷河鼠の毛皮」は毛皮の利用について、問題提起しています。その主張は、船乗りらしき青年が白熊たちに言うせりふ、

「生きてゐるにはきものも着なけあいけないんだ。（中略）けれどもあんまり無法なことはこれから気を付けるやう云ふから今度はゆるして呉れ」

に集約されているでしょう。「あんまり無法なこと」とは必要以上の殺生であり、タイチの言う「氷河鼠の頸のとこの毛皮だけでこさへた上着」しかも「四百五十疋分」とは、その象徴です。「氷河鼠」という名前の動物は実在しませんが、北極圏に生息するネズミのなかまとなれば、おそらくは「レミング」です。レミングには、首のところに細い輪のようなもようを持つ「クビワレミング」という種類がいます。

タイチは「ビーバー」の外套も着ています。ビーバーの毛皮はかつて、西洋の紳士が被る「トップハット」を作るのに使われていました。それがビーバーの減少により作れなくなり、代わりに絹を使ったものが「シルクハット」となりました。そんな事情を受けているのか、絹で拵えた毛皮ふうの外套が登場するあたりは、いまで言う「フェイクファー」の発想です。さらには「緩慢燃焼外套」なる言葉も見え、やがては化学によって緩慢に熱を発する新素材が開発されるであろうと、予告しているようでもあります。

ところでこのおはなしは、大正12（1923）年の4月15日、岩手毎日新聞に発表されました。4月8日に「やまなし」を掲載し、5月11日から「シグナルとシグナレス」を連載した、そのあいだです。この掲載のタイミングから見て、「氷河鼠の毛皮」もまた、大畠ヤスとの恋愛に関連していると、わたしは考えています。

賢治との恋を失ったヤスに、アメリカ在住の男性からどのようにして縁談があったのか、また賢治がその情報をどれほど得ていたのか、詳しくは分かりません。「イーハトブのタイチ」は、切れ切れに飛んでくる風の噂をつなぎ合わせた仮想の恋敵（こいがたき）と思われます。

　タイチの乗った汽車は「ベーリング行」です。サハリンの向こうにあるベーリング海峡を越えれば、そこはアラスカ。飛び地とは言え、アメリカに行くことができます。タイチの指には「アラスカ金」の指輪が光ります。少なくともアメリカ在住の男性と縁談があることは、賢治も聞いていたのではないでしょうか。

　このおはなしの書き手は、イーハトーブの停車場で汽車を見送りますが、じつは密かに分身を乗りこませていました。それが、「バースレー」すなわち船乗りが港に停泊しているあいだの休暇で汽車に乗っている、黄色い帆布の外套を着た船乗りです。その真情は、

「じつと外を見てゐる若者の唇は笑ふやうに又（また）泣くやうにかすかにうごきました。それは何か月に話し掛けてゐるかとも思はれたのです」

　という一節に見え隠れします。賢治はヤスを見そめたころ、「冬のスケッチ」という心象スケッチのはしりを書くようになり、そのころにはヤスを「ルーノのきみ」と呼んでいたと推察されます。「ルーノ（luno）」はエスペラントで「月」、月はヤスを表すと、わたしは考えています。

　タイチに鉄砲を向けたかったのは、ほんとうは賢治だったのかも知れません。けれども賢治はおしまい、タイチを許してしまったのです。

第四章　しぜん

教え子さんたちは、いきなり草原に入って「ほーっ、ほーっ」と跳(は)ねまわるなど、発作的に自然と一体になる賢治の姿を見ています。自然という、大きな時間の流れのなかにあるものを見つめていた賢治の言葉は、しばしば予言的です。

狼森と笊森、盗森

小岩井農場の北に、黒い松の森が四つあります。いちばん南が狼森で、その次が笊森、次は黒坂森、北のはずれは盗森です。

この森がいつごろどうしてできたのか、どうしてこんな名前がついたのか、それをいちばんはじめからすっかり知っているものは、おれ一人だと、黒坂森のまん中にある巨きな岩が、ある日、威張ってこのおはなしをわたくしに聞かせました。

ずうっと昔、岩手山が何度も噴火しました。その灰でそこらは埋まりましたが、噴火が鎮まると、野原や丘には、南の方からだんだん草が生えて、とうとうそこらいっぱいになり、それから柏や松も生えだして、しまいに、いまの四つの森ができました。けれども森にはまだ名前がなく、めいめい勝手に、おれはおれだと思っているだけでした。

ある年の秋、四人のけらを着た百姓たちが、山刀や三本鍬や唐鍬や、すべて山と野原の武器を体に縛りつけ、この森に囲まれた小さな野原にやって来ました。先頭の百姓が、そこらの幻燈のような景色をあちこち指さして、「どうだ、いいところだろう。畑はすぐ起こせるし、森は近いし、きれいな水も流れている。おれはもう早くから、ここと決めておいたんだ。」と言いますと、一人の百姓は、手のひらに土をとって指でこねたりなめたりしてから言いました。「うん。地味もひどくよくはないが、ひどく悪くもないな。」もう一人が「いよいよここと決めるか。」と、懐かしそうにあたりを見まわしながら言うと、「よし、そう決めよう。」いままで黙って立っていた、四人目の百姓が言いました。

　四人は背中の荷物を下ろし、来た方へ向かって叫びました。「おおい。おおい。ここだぞ。早く来お。早く来お。」すると向こうのすすきの中から、荷物をたくさん背負って、顔をまっ赤にしたおかみさんたちが三人と、五つ六つより下の子どもが九人、わいわい言いながら走ってきました。そこで四人の男たちは、てんでに好きな方へ向いて、声を揃えて叫びました。「ここへ畑起こしてもいいかあ。」「いいぞお。」森がいっせいに答えました。みんなはまた叫びました。「ここに家建ててもいいかあ。」「ようし。」森は一ぺんに答えました。「ここで火たいてもいいかあ。」「いいぞお。」「少し木貰ってもいいかあ。」「ようし。」

　その日、晩までには小さな丸太の小屋ができました。次の日から、男たちは鍬をピカリピカリさせて野原の草を起こし、女たちは、まだ栗鼠や野鼠に持っていかれない栗の実を集めたり薪を作ったりしました。森は冬の間、その人たちのために北風を防ぎました。それでも子どもらは手を赤くはらし、「冷たい。冷たい。」と言ってよく泣きました。

　春になって、小屋が二つになりました。蕎麦と稗とが播かれたようでした。その秋、穀物が実り、畑が増えて、小屋が三つになったとき、みんなは嬉しくて、大人までもが跳ね歩きました。ところが土の凍ったある朝、子どもたちのなかの小さな四人が、夜の間に見えなくなっていたのです。あちこち探しても、子どもらの影も見えません。

　そこでみんなは、てんでに好きな方へ向いて、いっしょに叫びました。「だれか童ゃど知らないか。」「知らない。」森はいっせいに答えました。「そんだら探しに行くぞお。」「来お。」みんなはいろいろな農具を持って、いちばん近い狼森に行きました。

　すると森の奥でばら色の火がどんどん燃え、狼が九匹、くるくるくる、火のまわりで踊っていました。子どもらは四人とも、焼いた栗や初茸などを食べています。みんなは声を揃えて叫びました。「狼どの狼どの、童ゃど返してけろ。」狼は驚いて森の奥へ逃げ、そして叫びました。「悪く思わないでけろ。栗だのきのこだの、うんとご馳走したぞ。」みんなは家に帰って粟餅を拵え、お礼に狼森に置いてきました。

　また春になって、子どもが十一人になり、馬が二匹来ました。畑には、草や腐った木の葉が馬の肥といっしょに入り、粟や稗はまっ青に伸びました。実もよく採れ、秋の末のみんなの喜びようと言ったらありませんでした。ところが霜柱の立った冷たい朝、みんなが仕事に出ようとすると、どこの家にも山刀も三本鍬も唐鍬も一つもありませんでした。

　それでみんなは、仕方なく叫びました。「おらの道具知らないかあ。」「知らないぞお。」森は一ぺんに答えました。「探しに行くぞお。」「来お。」まず、狼森に行きました。すると狼が九匹出てきて、「ない、ない、決してない、ない。」と手を振りました。

　みんなは笊森に行きました。森へ入ると、柏の木の下に大きな笊が伏せてありました。「こいつはどうも怪しいぞ。」開けると、中には農具が入っていました。それどころかまん中には、黄金色の目をした顔のまっ赤な山男が座っていて、みんなを見ると大きな口を開けて「バア。」と言いました。大人たちが「山男、これからいたずら止めてけろよ。」と声を揃えて言うと、山男は恐縮したようすで頭をかいて立っていましたが、みんなが帰ろうとすると、「おらさも粟餅持ってきてけろよ。」と叫んで、くるりと向こうをむいて、手で頭を隠して森の奥へ走っていきました。みんなは家に帰ると、また粟餅を作って、狼森と笊森に置いてきました。

次の年の夏になりました。平らなところは、もうみんな畑です。家には納屋（なや）ができ、馬も三匹になりました。秋の実りも大きく、みんなは、今年はもう、どんなに大きな粟餅を拵えても大丈夫だと思ったのです。そこで、やっぱり不思議なことが起こりました。ある霜の降りた朝、納屋のなかの粟が、みんななくなっていたのです。

みんなはがっかりして叫びました。「おらの粟知らないかあ。」「知らないぞお。」「探しに行くぞ。」「来お。」まず狼森に行きました。狼が「今日も粟餅だ。ここには粟なんかない、ない、決してない。」と言いました。次に笊森に行きました。すると山男は「粟餅だ。粟餅だ。おらはなっても取らないよ。粟を探すなら、もっと北へ行ってみたらよかべ」と言いました。

そこでみんなは、北の黒坂森の入口で言いました。「粟を返してけろ。」黒坂森は姿を出さず、声だけで言いました。「おれは明け方、まっ黒な大きな足が北へ飛んでいくのを見た。」みんなはもう少し北へ行きました。それこそは、松のまっ黒な盗森でした。「さあ粟返せ。」みんなが叫ぶと、奥からまっ黒な手の長い大きな男が出てきて、裂（さ）けるような声で言いました。「何の証拠があるんだ。」「証人がある。」「誰だ。」「黒坂森だ。」「あいつの言うことはあてにならん。」男がどなり、みんなが恐くなって逃げようとすると、にわかに頭の上で、「いやいや、それはならん。」というはっきりとした厳かな声がしました。

それは銀の冠をかぶった岩手山でした。黒い男は、頭を抱えて地に倒れました。岩手山は静かに言いました。「粟はきっと返させよう。だから悪く思わんでおけ。いったい盗森は、自分で粟餅をこさえてみたかったのだ。」みんなが帰ると、粟はちゃんと納屋に戻っていました。そこでみんなは粟餅をこしらえて、四つの森に持っていきました。

それから森は、みんなの友だちでした。そして毎年、冬のはじめにはきっと粟餅を貰いました。しかしその粟餅も、時節柄ずいぶん小さくなったということです。

賢治は明治42（１９０９）年の４月５日、13歳になる年に盛岡中学に入学しています。18歳で卒業したのち、いったんは花巻に帰って家の質店を手伝うものの、進学の希望を捨てられず、鬱屈した日々を過ごしたとされます。見かねた父、政次郎に、県内の学校ならと盛岡高等農林学校の受験を許され、19歳になる年の１月からは盛岡の教浄寺に下宿して猛勉強し、４月に農学科第二部に合格しました。

賢治は、盛岡中学に入学してから盛岡高等農林を22歳で卒業するまで、ほぼ10年という歳月を盛岡で暮らしたことになります。それは、人生において最も多感な時期だったとも言えましょう。賢治は中学時代の遠足や、高等農林時代の登山を通じて、岩手山や小岩井農場への愛着を深めました。

小岩井農場は明治24（1891）年、岩手山の南麓に日本最大の民間農場として開かれました。「小岩井」との名称は、創業者の井上勝、出資者の岩崎彌之助、後援者の小野義眞の苗字から一文字ずつを並べたもので、その経営は近代的なものでした。働く農民は月給制、西洋式の農法と植林、洋種の家畜を導入しての畜産、酪農。農業を学ぶ若き賢治は、小岩井農場の外国のような景色に目を見はったものと思われます。

もっとも賢治は、そのような景色が現れる前の、土地の持つ原初の記憶に、無関心ではいられませんでした。開墾される前、あたりは広大な原野だったそうです。そしてこのおはなしに登場する森は、いずれも小岩井農場の北に実在します。いちばん南の「狼森」は、標高約380メートルの小山ですが、残りの3地点はなだらかな丘陵地で、明瞭なピークがありません。狼森も含めて、賢治が書き残さなければ消えてしまった地名かも知れません。

ここで思うのは、「日本民俗学の父」と称される柳田國男の影響です。柳田は明治43（1910）年に『遠野物語』を著しました。また柳田は、国際連盟事務次長を務めた岩手県出身の新渡戸稲造と親しく、大正11（1922）年、新渡戸に誘われて赴いたスイスのジュネーブで、エスペラントに触れて熱中します。新渡戸もエスペラントに理解を示し、国連では世界共通語を求める議論が高まりました。このころ、エスペラントは日本にも紹介され、賢治もそれを学んだひとりでした。

柳田は地名にも関心を寄せており、大正元（１９１２）年には『地学雑誌』に「地名の話」を掲載しています。柳田は、人と土地との交渉がすなわち地名であると考えており、「定期の占有を必要とする職業、たとえば林業・農業等に従事する者に至って、初めて細かな地名を附けて、忘れないでおくという必要が生ずるのである」と述べています。さらに地名は、その所有の形態によって変化し、古いものは忘れられてゆくとも。

確かに、わたしたちはもう、小岩井農場のある地域を「小岩井」としか呼びません。しかし、「狼森」はかつて岩手にオオカミがいたことを示し、「盗森」は鬼伝説と結びついていると伝えられ、人びとが森に畏れを抱いていたことを物語ります。賢治はこれらの地名を、開墾して穀物を栽培したり、木を伐採して小屋を建てたりするのに、そのつど森に許可を求めていた時代があった証として、残そうとしました。

自然への祈りのこころは、どんなに時代が変わって暮らしや農法が近代化されても、持ち続けていたいものです。賢治はそのことを、小岩井農場に期待していたのではないでしょうか。

オツベルと象

……ある牛飼いがものがたる。

第一日曜。オツベルときたら大したもんだ。稲こき器械(きかい)を六台もすえつけて、のんのんのんのんのんのんと、おそろしない音を立ててやっている。

十六人の百姓(ひゃくしょう)が、顔をまるきりまっ赤(か)にし、足で踏んで器械を回し、小山のように積まれた稲を、片っ端(かたっぱし)からこいて行く。その仕事場でオツベルは、大きな琥珀(こはく)のパイプをくわえ、両手を背中に組み合わせ、ぶらぶら行ったり来たりする。器械がのんのん震(ふる)うので、中に入ると腹が減る。そして実際オツベルは、そいつで上手に腹を減らし、昼めしどきには六寸(すん)ほどのビフテキや、雑巾ほどあるオムレツの、ほくほくしたのを食べるのだ。

そしたらそこへ、白象がやって来た。白い象だぜ、ペンキを塗ったのでないぜ。たぶんぶらっと森を出て、ただ何となく来たのだろう。そいつが小屋の入口に、ゆっくり顔を出したとき、百姓たちはぎょっとした。オツベルは、ちらっと鋭く象を見た。するとこんどは白象が、片脚(かたあし)を床に上げたのだ。オツベルは、も一度ちらっと象を見た。それからいかにも退屈そうに、わざと大きなあくびをして、行ったり来たりやっていた。

ところが象は威勢よく、前脚二つを突き出して、小屋に上がってこようとする。百姓たちはぎくっとし、オツベルも少しぎょっとして、それでもやっぱり知らないふうで、ゆっくりそこらを歩いていた。そしたらとうとう、象がのこのこ上がってきた。器械はひどく回っていて、籾(もみ)はパチパチ象に当たる。そのとき象は鶯(うぐいす)みたいないい声で、こんな文句を言ったのだ。「ああ、だめだ。あんまりせわしく、砂が私の歯にあたる。」

　さあ、オツベルは命がけだ。度胸をすえてこう言った。「どうだいここは面白（おもしろ）いかい。」「面白いねえ。」「ずっとこっちにいたらどうだい。」百姓どもははっとして、息を殺して象を見た。オツベルはにわかに震（ふる）えだす。ところが象はけろりとして、「いてもいいよ。」と答えたもんだ。「そうか。それではそうしよう。そういうことにしようじゃないか。」どうだ。そうしてこの象は、もうオツベルの財産だ。

　第二日曜。オツベルときたら大したもんだ。この前うまく自分のものにした、象も実際、大したもんだ。力も二十馬力（ばりき）ある。そしてずいぶん働くもんだ。

「お前は時計は要（い）らないか。」丸太で建てた象小屋で、オツベルは顔をしかめてこう訊（き）いた。「ぼくは時計は要らないよ。」「まあ持ってみろ。」そう言いながらオツベルは、ブリキの時計を象の首からぶら下げた。「なかなかいいね。」「鎖（くさり）もなくちゃだめだろう。」オツベルときたら百キロもある鎖をさ、その前脚にくっつけた。「うん、なかなかいいね。」「靴（くつ）を履（は）いたらどうだろう。」「ぼくは靴など履かないよ。」「まあ履いてみろ。」オツベルは、赤い張子（はりこ）の大きな靴を、象の後ろのかかとにはめた。「なかなかいいね。」「靴に飾りをつけなくちゃ。」オツベルは大急ぎで、四百キロある分銅（ぶんどう）を、靴の上からはめ込んだ。

　次の日、ブリキの時計と紙の靴とは破け、象は鎖と分銅だけで、大喜びで歩いていた。「すまないが税金も高いから、今日は少し、川から水を汲（く）んでくれ。」オツベルは両手を後ろに組んで、顔をしかめて象に言う。「ああ、ぼく、水を汲んでこよう。」象は目を細くして喜んで、その昼過ぎに五十だけ、川から水を汲んできた。そして菜っ葉の畑にかけた。夕方、象は十把の藁を食べながら、「ああ、稼ぐのは愉快だねえ。さっぱりするねえ。」と言っていた。

次の日、オツベルは房のついた赤い帽子をかぶり、両手をポケットに突っこんで、「すまないが税金がまた上がる。今日は少うし、森から薪を運んでくれ。」とこう言った。その昼過ぎの半日に、象は九百把の薪を運び、夕方、八把の藁を食べながら、「ああ、せいせいした。サンタマリア。」と、こう独り言したそうだ。

その次の日だ。「すまないが税金が五倍になった。今日は少うし鍛冶場に行って、炭火を吹いてくれないか。」「ああ、吹いてやろう。」象はのそのそ鍛冶場へ行くと、ぺたんと肢を折って座り、ふいごの代わりに半日炭を吹いたのだ。その晩、象は七把の藁を食べながら、「ああ、疲れたな、嬉しいな、サンタマリア。」とこう言った。

どうだ、そうして次の日から、象は朝から稼ぐのだ。藁も昨日はただ五把だ。

第五日曜。オツベルかね、オツベルは居なくなったよ。前に話したあの象を、オツベルは少し酷くし過ぎた。象は、なかなか笑わなくなり、ときには赤い竜の目をして、じっとオツベルを見下ろすようになってきた。ある晩、象は三把の藁を食べ、「苦しいです。サンタマリア。」と言ったということだ。それを聞いたオツベルは、ますます象に辛くした。

そしてある晩、象は小屋でふらふら倒れ、藁も食べずに「もう、さようなら、サンタマリア。」

とこう言った。月がにわかに象に言う。「何だい。意気地のないやつだなあ。仲間へ手紙を書いたらいいや。」「お筆も紙もありませんよう。」象は細いきれいな声で、しくしく泣いた。「そら、これでしょう。」目の前には赤い着物の童子が立って、紙と硯を捧げていた。象はさっそく手紙を書いた。

童子が手紙を持って山に着くと、象どもは額を集めてこれを見た。そしていっせいに立ち上がり、まっ黒になって吠えだした。「オツベルをやっつけよう。」「おう、出かけよう。グラアガア、グララアガア。」もうみんな、嵐のように林の中を鳴き抜けて、野原の方へ飛んでいく。グララアガア、グララアガア。小さな木などは根こそぎになり、藪や何かもめちゃめちゃだ。グワア、グワア、グワア、象たちは野原に出ると、走って走って、オツベルの黄色い屋根を見つけると、グララアガア、グララアガア、と噴火した。

オツベルはちょうど昼寝をしていたが、百姓たちが血の気も失せて駆けこんで、「旦那あ、象です。」と声を限りに叫ぶと、ぱっちりと目を開き、「おい、象のやつは小屋にいるのか。戸を閉めろ。閉じこめちまえ。わざと力を減らしてあるんだ。」ラッパみたいないい声で、百姓たちに指示をした。ところがみんな、こんな主人の巻き添えなんぞ食いたくない。

象は屋敷をとり巻いて、グララアガア、グララアガア。中から、優しい声もする。「いま、助けるから安心しろよ。」けれども塀はセメントで、中には鉄も入っている。象もなかなか壊せない。塀のなかではオツベルが、たった一人で叫んでいた。そのうち外の象どもは、仲間の体を踏み台に、いよいよ塀を越しかかる。その皺(しわ)くちゃで灰色の、大きな顔を見あげたとき、オツベルの犬は気絶した。さあオツベルは、射(う)ちだした。六連発のピストルさ。ところが弾丸(たま)が通らない。

「なかなかこいつはうるさいねえ。ぱちぱち顔へ当たるんだ。」オツベルは、いつかどこかでこんな文句を聞いたようだと思ったが、そのうち象の片脚が、塀からこっちにはみ出した。それからも一つはみ出した。五匹の象がいっぺんに、塀からどっと落ちてきた。オツベルは、もうくしゃくしゃに潰(つぶ)れていた。丸太なんぞは、マッチのようにへし折られ、あの白象は、たいへん瘠(や)せて小屋を出た。「まあ、よかった。」みんなは静かに傍(そば)により、鎖と分銅を外(はず)してやった。

おや、〔一字不明〕、川に入っちゃいけないったら。

賢治の作品の多くは、賢治の死後、原稿のまま残されていました。それが読めるようになったのは、原稿を託された弟の宮澤清六(せいろく)や、賢治を高く評価していた詩人の草野心平(くさのしんぺい)、地元の友人である森荘已池(もりそういち)や藤原嘉藤治(ふじわらかとうじ)ほか、多くの研究者の努力の成果です。

そのなかで「オツベルと象」は、賢治が自ら『月曜』という雑誌に寄稿し、活字になりました。『月曜』の創刊は大正15（1926）年、詩人の尾形亀之助によるものでした。このとき29歳の賢治は1月の創刊号にこのおはなしを載せたほか、2月号に「ざしき童子のはなし」、3月号に「寓話　猫の事務所」を寄せています。

尾形は賢治より4歳年下、宮城県出身の詩人です。賢治とは、ともに草野の主宰する詩誌『銅鑼』の同人だったことから、縁が生まれました。尾形の賢治への思慕の念は強く、賢治が亡くなった昭和8（1933）年の11月23日、当時の花巻町役場の2階で開催された追悼会に、草野とともに駆けつけています。

また尾形は、同年10月27日付の岩手日報に「明滅」という追悼文を、昭和14（1939）年には詩の同人誌『歴程』に、賢治の60歳の誕生日を祝うという興味深い追悼文「宮沢賢治第六十回生誕祝賀会」を載せています。『歴程』は、昭和10（1935）年に草野や中原中也、尾形ら8名が創刊し、賢治も物故同人になっていました。尾形が残した追悼文については後述しますが、これまであまり語られてこなかった賢治の素顔を、尾形は知っていた可能性があります。
さて、「オツベルと象」です。このおはなしはふつう、労働にかかわる内容と解釈されます。「オツベル」という工場経営者は、ひょっこり現れた「白象」を自分の財産にして、過酷な労働をさせたうえ、相応の報酬を支払いません。

と同時にわたしは、「おや、〔一字不明〕、川へはひつちゃいけないつたら」というおしまいの一行から、これを川や自然のおはなしとして読んでいます。白象の手紙を見て怒りを噴火させた象たちが、「グララアガア、グララアガア」と鳴きながらオツベルの屋敷に押し寄せ、その塀を越えて敷地内になだれこむさまは、まるで洪水の描写です。

日本の川は急で水害がつきものでした。そのため古くから対策がなされ、明治29（１８９６）年には河川法が制定され、本格的な治水が始まりました。賢治のころには、川はまだまだ自然の姿を保っていたと思われますが、現在ではほとんどの川で堤防や河川敷の整備が行われ、結果として美しい景色や貴重な生きものを失った例が多く見られます。むろん治水はたいせつですが、足に鎖や分銅をつけられ、オツベルに「わざと力を減らしてある」と言われる白象は、わたしには川、もしくは水の化身に思われます。

さらに北上川の上流には松尾鉱山があり、明治44（１９１１）年からは横浜の資本家・中村房次郎によって大規模な硫黄の採掘が始まり、隆盛を極めました。しかし、その坑道からはヒ素を含む強酸性の排水が流出し、川が赤く染まります。鉱山は昭和47（１９７２）年に閉じ、10年後には岩手県の中和処理施設が完成しましたが、排水はいまも廃坑から出ており、中和処理は半永久的に続ける必要があります。

川が汚れるのは悲しいことです。『月曜』に掲載されたとき、ラストの一行は「おや、■、川へはひつちやいけないつたら」となっていました。ここは「一字不明」ではなく、まさしくブラックボックス、さまざまに賢治の意図が読みとれる「■」のままがよいのでしょう。

風の又三郎

谷川の岸に、小さな学校がありました。

教室はたった一つでしたが、生徒は一年から六年生までみんなありました。運動場はテニスコートくらいでしたが、すぐ後ろは、栗の木のあるきれいな草の山でした。運動場の隅(すみ)には、ごぼごぼ冷たい水を噴(ふ)く岩穴もあったのです。

さわやかな九月一日の朝でした。青空で風がどうと鳴り、日光は運動場いっぱいでした。二人の一年生が、「ほう、おら一等だぞ。」と大喜びで門を入って来たのですが、ちょっと教室の中を見て、びっくりして顔を見合わせました。というわけは、顔も知らない赤い髪の子どもが一人、いちばん前の机にちゃんと座っていたのです。

すると六年生の一郎が来ました。「誰だ。時間にならないに、教室へ入ってるのは。」けれどもその子どもは、きょろきょろみんなの方を見るばかりで、やっぱりひざに手をおいて座っていました。ぜんたいその形からが実におかしいのでした。鼠(ねずみ)色のだぶだぶの上着に白い半ずぼん、それに赤い革の半靴(はんぐつ)を履(は)いて、ことに目はまん丸でまっ黒なのでした。

そのとき風がどうと吹いて、教室のガラス戸はがたがたと鳴り、後ろの山の萱(かや)や栗の木は青白くなって揺れ、教室の中の子どもは何だかにやっと笑って少し動いたようでした。すると、嘉助(かすけ)が叫びました。「ああ、分かった。あいつは風の又三郎だぞ。」

やがて先生が、校庭へ出てきました。そのすぐ後ろから、さっきの赤い髪の子が、白いシャッポをかぶってすぱすぱと歩いてきます。みんなは先生の号令で校庭に並び、先生は、その子を四年生の列のところに連れていくと嘉助の後ろに並ばせました。

それから教室に入って、外で並んだときと同じように席につきました。「休みの間に、皆さんのお友だちが一人増えました。そこにいる高田さんです。」先生が言うと、嘉助がすぐに手をあげました。「高田さん、名は何て言うべな。」「高田三郎さんです。」「うまい。そりゃ、やっぱり又三郎だな。」嘉助は手を叩(たた)いて机の中で踊るようにしました。教室にはいつか、白いだぶだぶの上着を着て、黒いハンカチをネクタイ代わりにした大人の男の人も来ていました。

放課後になり、掃除当番の五年生と六年生を残して、みんなは帰っていきました。三郎はその男の人と、運動場を並んで歩いていきます。二人の姿を見ながら、一郎は先生に尋(たず)ねました。「あの人は高田さんのお父さんすか。」「そうです。」「何の用で来たべ。」「上の野原の入口にモリブデンという鉱石ができるので、それをだんだん掘るようにするためだそうです。」「そだら又三郎も掘るべか。」嘉助が言い、佐太郎(さたろう)が「又三郎でない。高田三郎だじゃ。」と諭(さと)します。しかし嘉助は、「又三郎だ又三郎だ。」と、顔をまっ赤(か)にして頑張(がんば)りました。

九月二日。又三郎はどんどん正門を入ってくると、「お早う。」とはっきり言いました。みんなはそっちをふり向きましたが、一人も返事をしませんでした。それはみんなは先生には「お早うございます。」と言うように習っていたのですが、お互いに「お早う。」なんて言ったことがなかったのです。みんなはまだ、きろきろ又三郎を見ていました。

「ではみなさん今日から勉強を始めましょう。」先生が道具を出すように言うと、佐太郎が、三年生の妹、かよの鉛筆をとってしまいました。かよは鉛筆をとり返そうとしますが、佐太郎は机にくっついた蟹（かに）の化石のようになっています。とうとうかよがぽろぽろ涙をこぼしたのを見ると、又三郎は、持っていた鉛筆を佐太郎の机の上に置きました。先生も嘉助も知りませんが、一郎はこれをいちばん後ろで見ていました。そして、何と言ったらいいか分からないへんな気持ちがして、歯をきりきり言わせました。

九月四日、日曜。一郎は、嘉助と佐太郎と悦治（えつじ）、そして三郎も誘って、上の野原に向かいました。野原には土手があり、中には牧場の馬が二十頭ばかり放されています。一郎の兄さんがやって来て、「土手から外へ出はるなよ、迷ってしまうづど危ないからな。」と言いました。

ところが、みんなが競馬（けいば）の真似（まね）をしているうちに、二匹の馬が土手の外へ出てしまいました。一匹は、すぐに一郎が捕まえましたが、もう一匹は、一目散（いちもくさん）に走って逃げてしまいました。それを、三郎と嘉助が追いかけました。嘉助は、馬の踏み跡を辿（たど）って走っているうちに、すっかり道に迷ってしまい、とうとう草の中に倒れて眠ってしまいました。

そんなことは、どこかの遠いできごとのようでした。もう又三郎がすぐ目の前に足を投げ出して、黙って空を見上げているのです。いつかいつもの上着の上にガラスのマントを着て、光るガラスの靴（くつ）を履いているのです。そして風がどんどんどん吹いているのです。又三郎は、いきなりひらっと空へ飛び上がりました。ガラスのマントがギラギラ光りました。嘉助は、ふと目を覚ましました。すると目の前に、馬がのっそりと立っていたのです。その後ろから三郎が、まるで血の気の引いた唇をきっと結んで出てきました。嘉助はぶるぶる震えました。

「おうい。」霧のなかから、一郎の兄さんの声がしました。「おうい。嘉助。」一郎の声もしました。みんなは、一郎の兄さんとお祖父さんが草で拵えた小屋に入り、焚き火で体を温めてから、疲れて野原を下りました。三郎と別れたあと、嘉助は「あいづ、やっぱり風の神だぞ。風の神の子っこだぞ。」と言い、「そうだないよ。」と一郎が高く言いました。

九月五日。「下がったら葡萄蔓とりに行がなぃが。」耕助が嘉助にそっと言うと、嘉助が又三郎を誘いました。五時間目が終わり、一郎と佐太郎と悦治と、六人で葡萄をとりに行きました。又三郎はいきなり「何だい、この葉は。」と畑のたばこの葉をもいでしまい、耕助は自分の見つけた葡萄蔓のありかを三郎にまで教えることになって、面白くなかったので、「たばこの葉をとると、専売局にうんと叱られるぞ。」と意地悪く囃します。

耕助はしまいに、「風など世界中に無くてもいいな。」と言い、「無くてもいいってどう言うんだい。箇条を立てていってごらん。」と又三郎に問い詰められます。耕助は、「うう、うう」と悩んだ末に「風車もぶっ壊さな。」と答えてしまい、又三郎が「風車なら回してやる時の方がずっと多いんだ。」と笑いました。

九月七日。授業がすむと、みんなはすぐ川下の方へそろって出かけました。大人が川に爆薬をしかけて発破をかけ、子どもたちも浮いてきた魚を拾いました。しばらくすると見知らぬ大人が川原に現れ、汚れたわらじを洗うように川のなかを歩きました。三郎を連れにきた専売局の人間だと思った子どもたちは、「あんまり川を濁すなよ。いつでも先生言うでないか。」と声を揃えて何度も叫び、その大人を追い払いました。

九月八日。みんなはねむの河原を抜けて、さいかち淵に行きました。佐太郎が山椒の粉で毒もみをして魚を捕ろうとしますが、魚はさっぱり浮いてきませんでした。佐太郎はとうとうきまり悪そうに、「鬼っこしないか。」と言いました。そのうちに又三郎一人が鬼になると、嘉助が「又三郎来」と手を広げてばかにしました。又三郎は怒ってみんなを片っ端から捕まえました。ところがそのときにはもう、空がいっぱいの黒い雲で、ごろごろと雷が鳴り、夕立が来ました。風もひゅうひゅう吹きました。すると誰ともなく、「雨はざっこざっこ雨三郎。風はどっこどっこ又三郎。」と叫んだものがあります。又三郎は震えながら「いま、叫んだのはお前たちかい。」と尋ね、みんなは「そでない、そでない。」といっしょに叫びました。

九月十二日、第十二日。「どっどど　どどうど　どどうど　どどう　青いくるみも吹きとばせ　すっぱいかりんも吹きとばせ」

一郎は夢の中でこの歌を聴きました。びっくりして跳ね起きて見ると、外ではひどく風が吹いて林はまるで吼えるよう。一郎は、すばやく身支度を整えて外に出ましたが、風が胸の底までしみこむように感じられ、はあ、と強く息を吐きました。顔いっぱいに雨粒を受けながら、黙って風の音を聞いていると、胸がさらさらと波を立てるように思いました。昨日まで、丘や野原の空の底でしんとしていた風が、今朝、にわかに動きだして、北の端を目指していくことを考えると、もう一郎は、自分までがいっしょに空を翔けていくような気持ちになったのです。

「なして今朝、そったに早く学校に行がなぃやなぃがべ。」とお母さんがききました。「うん、又三郎は飛んでったがも知れなぃもや。」一郎は嘉助を誘って、烈しい風と雨にぐしょ濡れになりながら学校に行きますと、奥から先生が出てきました。「又三郎、今日来るのすか。」嘉助が尋ねると、先生はちょっと考えて、「又三郎って高田さんですか。高田さんは昨日、お父さんといっしょに、もう外へ行きました。日曜日なのでみなさんにご挨拶するひまがなかったのです。ここのモリブデン鉱脈は、当分、手をつけないことになったためだそうです。」

「やっぱりあいづは風の又三郎だったな。」嘉助が高く叫びました。


「かぜがくれば／ひとはダイナモになり／……白い上着がぶりぶりふるふ……」

とは、『春と修羅』第二集に収められた〔かぜがくれば〕の冒頭で、「ダイナモ」は発電機です。風に吹かれているうち、体にエネルギーが満ちてくる感覚は、賢治ならずとも味わったことがあるでしょう。賢治は風について、たくさんの言葉を残しています。

風の化身が登場するおはなしは、このほかにもうひとつ、その名も「風野又三郎」があります。「風の又三郎」では、風の化身としての又三郎は、高田三郎という転校生のうしろに、幻想的に表現されています。いっぽう「風野又三郎」では、風の化身である又三郎が、何のしかけもなく風そのものとして姿を現します。村の子どもらは又三郎から、さまざまな話を聞き、風という現象について知識を深めるのでした。

又三郎は、世界のどこへでも行けます。それは「大循環（だいじゅんかん）」のためで、大循環とは、大まかに言えば地球規模での大気の移動のことです。赤道地方で熱せられた大気は上空へ立ち昇り、より冷たい地方へと向かい、極（きょく）地方では逆に、上空の大気が冷えて下降したのち、より暑い地方へと戻ります。又三郎は言います。

「そんな旅を何日も何日もつゞけるんだ。／ずゐぶん美しいこともあるし淋しいこともある」

又三郎の語る大循環の旅は、まるで賢治がその目で見てきたかのように、鮮やかに胸に迫ります。賢治は日本を出ることがありませんでしたが、それだけに外国への憧（あこが）れは強く、風について書かれた本を読んでは、世界の景色に思いを巡らせていたものと思われます。ましてやかつての恋人も、アメリカに渡っているのです。

この「風野又三郎」が書かれたのは、大正13（１９２４）年のことでした。それに、放牧地で迷子になる「種山ヶ原」や、みんなで水遊びをする「さいかち渕」というおはなしを組み合わせて「風の又三郎」にしようとしたのは賢治が35歳になる昭和６（１９３１）年、『児童文学』

という雑誌に掲載するためでした。

賢治はその年、8月18日づけで教え子の沢里武治に手紙を出し、『児童文学』への寄稿の予定を知らせ、「八月末から九月上旬へかけての学校やこどもらの空気にもふれたい」と取材の申し込みをしています。そのころ沢里は遠野市上郷地区で小学校の教員をしていました。ただし『児童文学』には、昭和6年「北守将軍と三人兄弟の医者」、翌年「グスコーブドリの伝記」を発表しましたが、「風の又三郎」は雑誌の廃刊で掲載されませんでした。

なお、いくつかのおはなしを組み合わせたため、「風の又三郎」の舞台については諸説あります。種山ヶ原はもちろん、取材した遠野市上郷地区、また花巻市の大迫町外川目地区には「モリブデン」の鉱脈が残っています。

さらに盛岡高等農林学校時代の親友、保阪嘉内の故郷である山梨県の八ヶ岳には「風の三郎」伝説があります。実際、「風野又三郎」には八ヶ岳も出てきますし、高等農林時代に保阪や『アザリア』のなかまと登った岩手山も、詳しく記されています。

どの場所も、確かに舞台に違いなく、どこかひとつに定めることは意味をなしません。なぜなら賢治のこころは風になって、懐かしい人びとのもとを巡り、世界じゅうを駆けていたのですから。

水仙月の四日

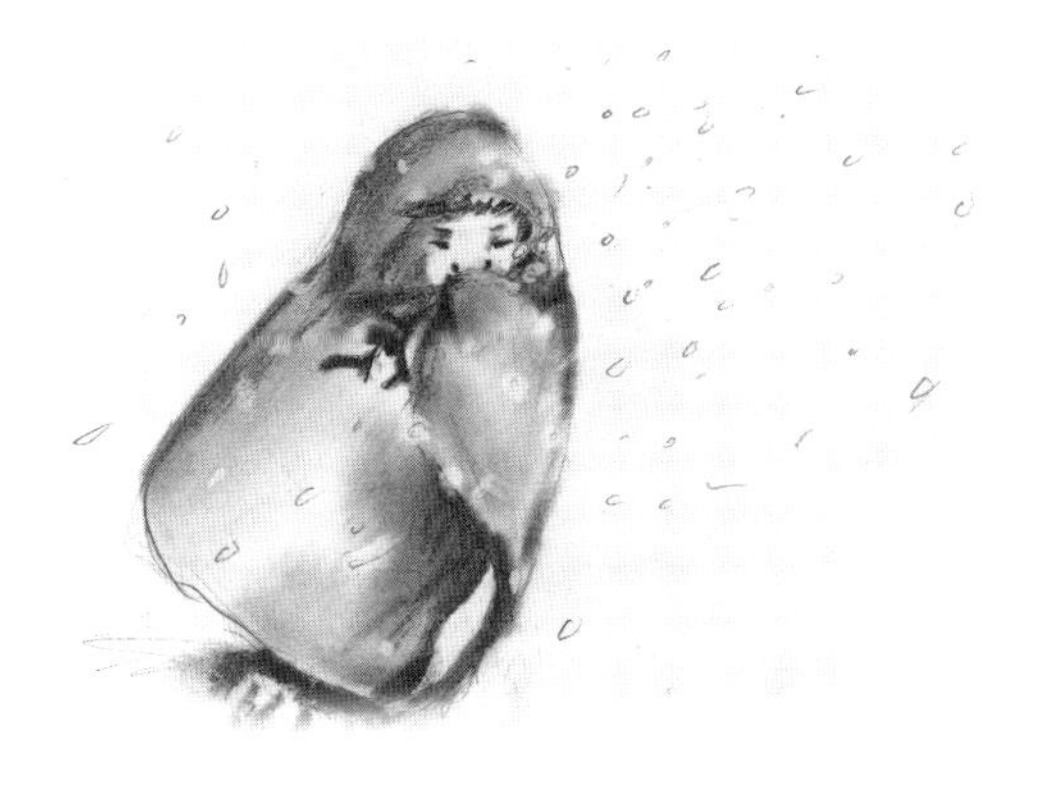

雪婆んごは、遠くへ出かけておりました。猫のような耳を持ち、ぼやぼやした灰色の髪をした雪婆んごは、西の山脈のぎらぎらの雲を越えて、遠くへ出かけていたのです。

一人の子どもが赤い毛布にくるまって、しきりにカリメラのことを考えながら、象の頭の形をした雪丘の裾をうちの方へ急いでいます。二匹の雪狼が、べろべろまっ赤な舌を出しながら雪丘の上の方を歩いていました。「しゅ、あんまり行っていけないったら。」雪狼の後ろから、白熊の毛皮の三角帽子をあみだにかぶり、顔を苹果のように輝かしながら、雪童子がゆっくり歩いてきました。

「カシオピイア、もう水仙が咲きだすぞ、おまえのガラスの水車、きっきと回せ。」雪童子は、まっ青な空を見あげ、見えない星に叫びました。「アンドロメダ、あぜみの花がもう咲くぞ、おまえのランプのアルコール、しゅうしゅと噴かせ。」雪童子は風のように丘に登りました。

丘の頂には、一本の大きな栗の木が、黄金色のやどりぎをつけて立っていました。「とっといで。」雪童子が言うと、一匹の雪狼が木に跳ね上がり、赤い実のついた小さな枝を、雪童子の足もとに落としました。「ありがとう。」雪童子は、町を遥かに眺めました。

細い道を、赤毛布の子どもが急いでいます。「あいつは昨日、木炭のそりを押していった。砂糖を買って、自分だけ帰ってきたな。」雪童子は笑いながら、手に持っていたやどりぎの枝を、ぷいっと子どもに投げました。

子どもはびっくりして枝を拾い、きょろきょろしています。雪童子は笑って、革むちを一つひゅうと鳴らしました。すると、雲もなく磨きあげられた群青の空から、まっ白な雪が、鷺の毛のようにいちめんに落ちてきました。それは下の平原やビール色の日光、茶色のひのきででき上がった静かな日曜日を、いっそう美しくしたのです。

子どもはやどりぎの枝を持って、一生懸命に歩きました。けれどもそのころには、西北の方から少し風が吹いてきました。東の遠くの海の方では、空の仕掛けを外したような、小さなカタッという音が聞こえました。雪童子は革むちを脇の下にはさみ、堅く腕を組み、唇を結んで、風の吹いてくる方をじっと見ていました。

風はだんだん強くなり、足もとの雪はさらさらさら流れ、間もなく向こうの山脈の頂に、ぱっと白い煙のようなものが立ったと思うと、もう西の方は、すっかり灰色に暗くなりました。雪童子の目は、鋭く燃えるように光りました。

空は白くなり、早くも雪がやって来ました。丘の稜が、軋るように鳴りだしました。その裂くような吠えるような風のなかから、「ひゅう、何をぐずぐずしているの。さあ降らすんだよ。降らすんだよ。ひゅうひゅうひゅうひゅう、ひゅうひゅう。降らすんだよ、飛ばすんだよ、ひゅう、ひゅう。」と、怪しい声が聞こえてきました。

雪婆んごがやって来たのです。ぱちっ、雪童子の革むちが鳴り、狼どもは跳ね上がりました。雪童子の顔は青ざめ、帽子も飛ばされていました。「ひゅう、ひゅう、さあしっかりやるんだよ。今日はここらは水仙月の四日だよ。さあ、しっかりさ。ひゅう。」西の方から三人の雪童子も連れてこられ、みんな顔色に血の気もなく、お互い挨拶さえ交わさずに、続けざまに革むちを鳴らしたり、行ったり来たりしました。

　もうどこが丘だか雪煙だか、空だかも分かりません。その中から雪童子はふと、風に消されて泣いている、さっきの子どもの声を聞きました。雪童子は、しばらく立ち止まっていましたが、いきなり激しくむちを振って走りました。けれどもそれは方角が違っていたらしく、雪童子はずうっと南の黒い松山にぶつかりました。

　また子どもの泣き声が、ちらっと聞こえました。雪童子はまっすぐに、そちらに駆けていきました。峠の雪のなかではさっきの子が、風に囲まれ、雪から足が抜けなくなって、起き上がろうとして泣いていました。

「毛布をかぶって、うつ向けになっておいで。ひゅう。」雪童子は走りながら叫びました。けれどもそれは、子どもにはただの風の声にしか聞こえませんでした。「動いちゃいけない。」雪童子は駆け戻りながら、また叫びました。子どもはやっぱり起き上がろうとしています。「黙って倒れておいで。今日はそんなに寒くないんだから凍えやしない。」子どもは口をびくびく曲げて泣きながら、また起き上がろうとしました。「倒れているんだよ。」雪童子は、わざとひどく突きあたって子どもを倒しました。

　雪婆んごがやって来ました。「おや、おかしな子がいるね。こっちへとっておしまい。水仙月の四日だもの、一人や二人とったっていいんだよ。」「ええ、そうです。さあ、死んでしまえ。」

「そうそう、それでいいよ。」雪婆んごは、向こうへ飛んでいきました。

　それでも子どもは、また起き上がろうとしました。雪童子は笑いながら、もう一度ひどく突きあたりました。子どもは力尽き、雪童子は手を伸ばして、その上に赤い毛布をかけてやりました。「そうして眠っておいで。布団（ふとん）をたくさんかけてあげるから。そうすれば凍えないんだよ。」雪童子は同じところを何べんも駆けて、雪をたくさん子どもの上にかぶせました。間もなく赤い毛布も見えなくなり、あたりとの高さも同じになってしまいました。

「あの子どもは、ぼくのやったやどりぎを持っていた。」雪童子はつぶやき、ちょっと泣くようにしました。

「さあ、しっかり。今日は夜の二時まで休みなしだよ。ここらは水仙月の四日なんだから。」雪婆んごは、遠くの風のなかで叫びました。そして雪は、夜じゅう降って降って降ったのです。やっと夜明けに近いころ、雪婆んごは言いました。「もうそろそろ休んでいいよ。あたしはこれから、海の方へ行くからね。」

　野原も丘もほっとしたようになり、桔梗（ききょう）色の天球には、いちめんの星座がまたたきました。雪童子らは、めいめい自分の狼を連れて、はじめて互いに挨拶しました。「ずいぶんひどかったね。」「今度はいつ会うだろう。」「さっき子どもが一人死んだな。」「大丈夫だよ。眠ってるんだ。」「ああ、もう帰ろう。夜明けまでに向こうへ行かなくちゃ。」「じゃ、さよなら。」三人の雪童子は、九匹の雪狼を連れて帰っていきました。

まもなく東の空に、ギラギラのお日さまが昇りました。「夜が明けたから、あの子どもを起こさなきゃいけない。」雪童子は、子どもの埋まっているところへ行き、雪狼どもが、そこらの雪を蹴立(けた)てました。かんじきをはき、毛皮を着た人が、村の方から急いでやって来ました。「もういいよ。」雪童子は、赤い毛布の端(はし)が、ちらっと出たのを見て叫びました。「お父さんが来たよ。もう目をお覚まし。」子どもはちらっと動いたようでした。そして毛皮の人は、一生懸命走ってきました。

賢治は津波の年に生まれ、津波の年に亡くなりました。

賢治の誕生日は明治29（１８９６）年8月27日とされますが、その年の6月15日に三陸大津波が起こっています。さらに、亡くなった昭和８（１９３３）年の3月3日にも、三陸は大地震と大津波に襲われました。２０１１年3月11日、東日本大震災が起こると、「雨ニモマケズ」が注目され、日本のみならずアメリカやフランスなど海外でも朗読されました。と同時に、賢治が紹介されるときには、しばしば津波との因縁が語られるようになりました。

むろん賢治は、災害には無関心ではありませんでした。「オツベルと象」の象の群れは洪水を連想させますし、このおはなしでは雪嵐の特異日(とくいび)が描かれます。雪婆んごが、「水仙月の四日だもの、一人や二人とつたつていゝんだよ」と言っているところをみると、水仙月の四日に起こるのは、いのちにかかわるレベルの気象災害と思われます。水仙月の四日は、いったい何月何日なのでしょう。

諸説あるなか、岩手で雪嵐が起こりやすいのは2月の節分のころ、ゆえに2月4日であろうという説には肯(うなず)けます。また、キリスト教における「四旬節(しじゅんせつ)」であろうという説に触れたときは、パズルのピースがぱちりとはまるような感覚がありました。四旬節は英語で「レント」と呼ばれ、ラッパ水仙の英名は「レントリリー」というのだそうです。

四旬節とは、「復活祭の前の日曜日を除く40日間」です。そして「復活祭」は、「春分の日のあとの満月から数えて最初の日曜日」です。復活祭も四旬節も、年によって日づけが動きます。決まった日づけを持たない四旬節を水仙月と呼び変えたのは、いかにも賢治らしいとわたしには納得がいきました。

水仙月は四旬節かも知れないと考えるようになって、わたしは毎年、今年の水仙月はいつから始まり、水仙月の四日は何月何日だろう、と注目するようになりました。四旬節の初日は水曜日で、四日は土曜日。早い年で2月上旬、遅い年で3月上旬となります。からりと晴れる日もありますが、荒れる日も確かに多いのです。

そしてあの年の水仙月は、３月９日に始まりました。その日は地震があり、わたしはその揺れから、気象のみならずすべての自然災害に水仙月を当てはめたほうがいいと直感していました。「一人や二人とつたつていゝ」とまで書いているのです。用心するに越したことはないと、周囲にも賢治の言う水仙月やレント説について伝えました。

はたして、その2日後に東日本大震災は起こりました。水仙月の三日でした。三日と四日の違いこそあれ、賢治の書き残した日づけは、あの震災を予言していたように思われます。気になって調べると、賢治が亡くなる１９３３年の３月３日に起こった三陸大津波も、水仙月の三日だったのです。この一致には驚きますが、賢治に読者を脅かす意図はなく、災害に備えることを忘れないよう、知らせているのだと思います。

なお、賢治はしばしば、自然が二面性を持つことを記しており、このおはなしのなかでも、雪の保温効果に触れています。雪を布団のように被ると、地面はもう、真冬でも零度より下がることはありません。ここでは新しく積もる雪ですから空気を含み、外気温に影響されますが、水仙月は春で、気温はそれほど低くありません。雪は、冷たくも温かいのです。

二面性を持つのは、自然全体に言えることです。賢治のおはなしは、たとえば「狼森と笊森、盗森」がそうであるように、自然界の両面をよく見て、じょうずにつき合ってゆくことを提案しています。

グスコーブドリの伝記

グスコーブドリは、イーハトーブの大きな森に生まれました。お父さんはグスコーナドリという名高い木樵りで、どんな巨きな木でも、赤んぼうを寝かしつけるように伐ってしまう人でした。ブドリにはネリという妹がいて、二人は毎日、森で遊びました。

ブドリが十、ネリが七つになった年は、どういうわけか夏になっても暑さが来ず、いちばん大切なオリザという穀物がひと粒も実りませんでした。次の年も同じでした。秋になるととうとう飢饉になり、みんなは楢の実や葛やわらびの根などを食べて冬を過ごしました。ある日お父さんは、じっと考えていましたが、「おれは森へ行って遊んでくるぞ。」と言って家を出ました。次の日の晩にはお母さんが、森へ入ってしまいました。

ブドリとネリは戸棚にある粉を少しずつ食べました。ある日、目の鋭い男がやって来て、二人に餅を食べさせると、「おい女の子、お前はおじさんと町へ行こう。」と言ってぷいっとネリを抱きあげ、「おおほいほい、おおほいほい。」とどなりながら風のように家を出ました。ブドリは森のはずれまで追いかけましたが、とうとう疲れて倒れました。

ブドリがやっと目を開くと、シャッポをかぶった男がいて、「この森はすっかりおれが買った。」と言いました。ブドリの家には「イーハトーブてぐす工場」という看板がかかっています。ブドリは男に教えられて栗の木に網をかけ、男は「てぐす」という虫を放しました。虫は、ちょうど栗の花のような色と形に育つと、栗の葉を食べつくして黄色い繭をかけ、ブドリたちは繭を集めて糸をとりました。外に置いた繭からは、大きな白い蛾がぽろぽろぽろぽろ飛び出し、男は自分も糸をとりましたし、野原の方からも人を連れてきて働かせました。

やがて荷馬車が来て糸を積むと、男はブドリに、「工場と森の番をしているんだぞ。」と言って、馬車について行きました。いつも男が座っていたところには、古いボール箱があって、十冊ばかりの本がぎっしり入っていました。てぐすや器械(きかい)の図がある、まるで読めない本もありましたし、いろいろな樹や草の図と名前が書いた本もありました。ブドリはその本のまねをして、字を書いたり図を写したりして、その冬を過ごしました。

翌春、男は再び虫を飼いはじめましたが、ある朝、大きな地震があり、遠くでどーんという音がしました。噴火でした。男はブドリに、「ここにいても危ないからな、野原へ出て何か稼(かせ)ぐ方がいいぜ。」と言って逃げました。

灰をかぶった森を半日歩き、ようやく森を出たブドリは、目を見はりました。野原は美しい桃色と緑と灰色のカードでできているようでした。桃色には、いちめんに背の低い花が咲き、蜜蜂が忙しく飛んでいましたし、緑色には草の穂が出て、灰色は浅い泥の沼でした。

ブドリは道で、「鶏の糞などの肥料(こやし)をうんと入れる」と言う赤ひげの人に出会い、働かせてもらうことにしました。しかし、主人が沼ばたけに植えたオリザは病気になり、その年、ブドリたちは蕎麦(そば)ばかり食べました。次の春、主人は死んだ息子の本をブドリに渡し、「勉強して立派なオリザを作る工夫(くふう)をしてくれ。」と言いました。そしてその夏ブドリは、オリザに病気ができかかったのを、木の灰と食塩(しお)を使って食い止めるという手柄を立てました。

けれども次の年は雨が降らず、その次の年も同じようなひでりでした。来年こそ来年こそと思っていたある日、主人はブドリに、「働き盛りをおれのところで暮らしてしまっては気の毒だ。」と言い、ひと袋のお金と新しい紺で染めた麻の服と赤革の靴とを渡しました。

ブドリはイーハトーブ行きの汽車に乗りました。主人から渡された本のなかで、クーボーという人が書いたものが親切だったので、その人に会い、できることなら働きながら勉強をして、みんながあんなつらい思いをしないでオリザを作れるよう、また火山の灰だのひでりだの寒さだのを除く工夫をしたいと思うと、汽車さえまどろっこしいくらいでした。

イーハトーブに着き、ブドリがクーボー大博士の学校を探しあてたとき、博士はちょうど授業中でした。ブドリは、今まで沼ばたけで持っていた汚い手帳に、博士が黒板に書いた図を写しました。博士はそれを見ると「よろしい。」と言い、いくつかの質問のあと、「面白い仕事がある。そこへすぐ行きなさい。」と、名刺を渡してくれました。

そこは大きな建物でした。壁いっぱいにイーハトーブ全体の模型が作ってあって、山々には赤や橙や黄色のあかりがついています。下の棚には、タイプライターのような器械が百ではきかないくらい並び、静かに動いたり、鳴ったりしているのでした。

少し髪の白くなった人の良さそうな立派な人が名刺を出し、そこには「イーハトーブ火山局技師ペンネンナーム」と書かれていました。次の日から、ブドリはペンネンネン技師について働いたり勉強したりしました。

そうして二年ばかりたちますと、ブドリには、イーハトーブの三百あまりの火山と、その働き具合が、手にとるように分かってきました。ある日、南の方の海岸にあるサンムトリという火山が、むくむくと活動を始めました。「ああ、これは噴火が近い。いますぐ見に行こう。」ペンネン技師が言い、二人はサンムトリ行きの汽車に乗りました。

ペンネン技師は、火山の爆発から町を守るため、海に向いた斜面に穴を開け、ガスや溶岩を出してしまおうと考えました。工作を終え、技師がスイッチを入れると、火山の足もとからは黄金色の溶岩が流れだし、扇形に広がりながら海に入りました。

それから四年の間に、ブドリは技師心得になり、一年の大半は火山から火山へと渡って歩き、危なくなった火山を工作したりしていました。クーボー大博士が潮の干満を利用した潮汐発電所を計画し、それが海岸沿いに二百も配置されましたので、ブドリは、その電気を使って雷雲の中に硝酸アンモニアという肥料成分を発生させ、雨といっしょに降らせることにしました。火山局では、村や町へポスターを貼ってそれを知らせました。

イーハトーブのまん中にある火山の頂で、肥料を降らせる雲の海を眺めながら、ブドリは、この雲の下でみんなが喜んで雨の音を聞いている。まるで夢のようだと思いました。その年の農作物は十年ぶりの出来で、火山局には感謝状や激励の手紙が届きました。

ところがある日、ブドリは火山からの帰りに立ちよった村で、肥料の入れすぎでオリザの苗が倒れた人々に襲われ、気がつくと病院のベッドに寝ていました。事件は、肥料の入れ方を間違って教えた農業技師が、それを火山局のせいにしたのが原因でした。そして、この事件を報じた新聞記事を見て、一人のおかみさんが病院に訪ねてきました。

それは、まるで変わってはいましたがネリでした。ネリを連れて行った男は、小さな牧場の前にネリを置いていき、ネリはその牧場の人々に助けられて育って、とうとうその家の息子と結婚したというのです。それからの五年は楽しいものでした。赤ひげの主人に礼に行くと、その暮らしは、ずいぶんいいようでしたし、ネリには可愛らしい男の子が生まれました。

また、昔てぐす飼いの男のところで働いていたという人が訪ねてきて、ブドリのお父さんたちのお墓が森のはずれにあると教えてくれました。てぐす飼いの男がお父さんたちを見つけ、そっと埋めておいたというのでした。

そしてちょうどブドリが二十七歳の年でした。あの恐ろしい寒い気候がまた来るようでした。ブドリはもう、いても立ってもいられませんでした。このままだと、森にも野原にも、ちょうどあの年のブドリの家族のような人たちが、たくさん生まれてしまうのです。

ある晩ブドリは、クーボー大博士を訪ねました。「先生、気層の中に炭酸ガスが増えてくれば暖かくなるのですか。」「それはなるだろう。」「カルボナード火山島が爆発したら、この気候を変えるくらいの炭酸ガスを噴くでしょうか。」「それは僕も計算した。」「先生、あれをいますぐ噴かせられませんか。」「それはできるだろう。けれども、その仕事に行った者のうち、最後の一人はどうしても逃げられんのでね。」「私にそれをやらしてください。」

クーボー大博士に止められ、ブドリはペンネン技師に相談しました。「僕がやろう。」と言う技師にブドリが言いました。「先生がお出でになってしまっては、あとの工夫がつかなくなると存じます。」それから三日ののち、火山局の船がカルボナード島へ急いで行きました。いくつものやぐらが建ち、電線が連結され、すっかり支度が整うと、ブドリはみんなを帰して島に残りました。次の日、イーハトーブの人たちは、空が緑色に濁り、日や月が銅色になったのを見ました。そうして三、四日たちますと、気候はぐんぐん暖かくなり、その秋はほぼ普通の作柄になりました。

たくさんのお父さんやお母さんは、たくさんのブドリやネリといっしょに、その冬を楽しく過ごすことができたのです。

自然は二面性を持ち、恵みと同時に、過酷な試練をもたらします。おなかいっぱい食べられることは、かつての岩手では当たり前ではありませんでした。

「てぐす」とは、その体内から絹成分の入った絹糸腺という袋をとり出し、釣り糸を作ることができるクスサンの幼虫で、クリの花に似た大きな毛虫の俗名です。賢治はそこに、鮮やかな黄緑色の繭から上等の絹糸がとれ、天蚕とも呼ばれるヤママユと、同じくヤママユ科の青白く美しい蛾、オオミズアオとを組み合わせて、幻の虫として表現しました。

「オリザ」はイネの学名「オリザ・サティバ（Oryza sativa）」を、そのまま使っています。賢治が栽培していたことで有名な「陸羽１３２号」は、交配により生まれた品種の第一号です。寒さに強いが病気に弱い「亀の尾」に、病気に強い「陸羽20号」をかけ合わせたもので、作出されたのは大正10（１９２１）年。陸羽１３２号は、当時の最新品種でした。

恐ろしいオリザの病気は「いもち病」でしょう。大正時代、日本の水田で使える農薬はまだありませんでした。イネを病気から守るため、賢治も苦悩したに違いありません。

賢治は大正15（１９２６）年に花巻農学校を辞めると、８月23日に「羅須地人協会」を設立し、肥料相談をはじめとする農業の指導を行うようになります。そのころ賢治から指導を受けていた方の娘さんが、朝早くに田んぼに来て、お父さんとふたりでイネの葉についた露の滴を落とす賢治の姿を見ています。長い縄を田んぼに渡し、その両端をふたりで持って、ゆっくりと田んぼの畔を歩くのだそうです。いもち病菌は、水滴が10時間あまりイネにつくと感染します。賢治はそれを察知していたのでしょう。

そして「クーボー大博士」は、賢治の盛岡高等農林学校時代の恩師、関豊太郎博士がモデルとされています。関は、土壌学の優れた研究者でしたが、いわゆる学究肌で、学生には雷先生と呼ばれました。賢治はそんな関を慕い、関も賢治に目をかけました。岩手県には「黒ボク」と呼ばれる酸性土壌が広がっています。それは岩手山の噴火による火山灰のうえに、植物が茂ってできた腐植質が積もったもので、農業には適していません。賢治が関の指導のもとに書いた「得業論文」は、黒ボク土壌がテーマでした。

昭和６（１９３１）年、賢治は病をおして東北砕石工場の技師となり、石灰粉末の宣伝販売に努めます。その動機は盛岡高等農林在学中にさかのぼり、「酸性土壌の改良に石灰粉末が有効である」という関の考えに触れていたためと思われます。砕石工場の依頼を受けるに当たっては、関に手紙を出し、技師となってよいかどうかを尋ねています。

ブドリが肥料入りの雨を降らせるのは、賢治が石灰粉末を広めようとしたのと、まったく同じ願いによるものです。盛岡高等農林で学んだ多くの学問は、人の役に立つことを重んじる実学で、過酷な労働や飢えや貧困をなくしたいと願った賢治の思想を支えました。

潮の満ち引きを利用した「潮汐発電所」は、現在の発電事情を考えるとたいへん示唆に富んでいます。また、大気中の炭酸ガス濃度の増加による気温上昇は「温室効果」と呼ばれ、いまでは温暖化の原因になっていますが、大気という目には見えない環境の変化も、わたしたちの暮らしに影響を及ぼすことを、賢治はすでに認識していました。

賢治が亡くなる前年、昭和７（１９３２）年に『児童文学』に発表したこのおはなしから、わたしたちが読みとれることは、とても多いと言えるでしょう。

第五章　こころ

賢治から農業指導を受けていた方の娘さんは、米がよくとれたお礼にと、正月に鏡餅（かがみもち）をついてお膳にのせ、届ける父についてゆきました。雪の降る日で、賢治は小さな娘さんの肩にそっと手を置いて、「寒かべ」と言ったそうです。

貝の火

今は兎たちは、みんな短い茶色の着物です。草はきらきら光り、あちこちの樺の木は白い花をつけました。実に野原はいい匂いでいっぱいです。子兎のホモイは、喜んでぴんぴん踊りながら申しました。「ふん、いい匂いだなあ。鈴蘭なんかまるでパリパリだ。」

ホモイはいつか、小さな流れの岸まで来ておりました。冷たい水がこぼんこぼんと音をたて、底の砂が光っています。するとふいに流れの上の方から、「ブルルル、ピイ、ピイ、ピイ、ピイ。」とけたたましい声がして、うす黒いもじゃもじゃした鳥のような形のものが、ばたばたもがきながら流れてきました。それは確かに、痩せたひばりの子どもです。

ホモイは水の中に飛び込んで、ひばりの子どもを捕まえると、いっしょに流されていきました。二度ほど波をかぶり、よほど水を飲みましたが、それでもその子を離しませんでした。ホモイが、一本の柳の枝にかみついて、岸の柔らかな草の上にひばりの子を投げ、自分も跳ね上がると、空から矢のように母親のひばりが降りてきて、子どもを強く強く抱いてやりました。

ホモイが家に帰ると、お母さんはびっくりして、「おや、たいへん顔色が悪いよ。」と言いながら棚から薬の箱を下ろすと、万能散を出してホモイに渡しました。ホモイは薬を受けとって、そのままバッタリ倒れてしまいました。ひどい熱病にかかったのです。

ホモイがお父さんやお母さんや兎のお医者さんのおかげですっかりよくなったのは、鈴蘭に青い実ができたころでした。ホモイは、雲のない静かな晩にうちから出てみました。すると、空でブルルッと羽の音がして、二匹の小鳥が下りて参りました。「あなた方は先ころのひばりさんですか。」ホモイが言うと、親子のひばりは、たくさんおじぎをして、栃の実ほどのまん丸の玉を差し出しました。「これは貝の火という宝珠でございます。王さまのお言伝では、あなたさまのお手入れ次第で、どんなにでも立派になると申します。どうかお納めを願います。」

ホモイは玉を見ました。玉は、赤や黄に燃えているようですが、実は冷たく澄んでいるのです。ホモイはそっと玉を捧げておうちに入ると、すぐにお父さんに見せました。するとお父さんは玉を手にとって、よく調べてから申しました。「これはたいへんな玉だぞ。これを一生満足に持っていることのできたものは、今まで鳥に二人、魚に一人あっただけだという話だ。お前はよく気をつけて、光をなくさないようにするんだぞ。」と言いました。

あくる朝、ホモイが外に出ると年老いた野馬が来て、あの玉が獣の方に来たのは千二百年ぶりのことだと喜んで、ボロボロ泣きました。栗鼠は、いつものようにホモイが「おはよう。」と声をかけただけで、堅くなって言葉も出ません。ホモイがうちに戻って「僕は大将になったのですか。」と言うと、お母さんもうれしそうに「まあそうです。」と申しました。

ホモイが野原に飛び出すと、目の前を意地悪な狐が走っていきます。「待て。狐。お前はずいぶん僕をいじめたな。」狐はびっくりしてふり向きました。「どうかお許しを願います。どんなことでもいたします。」ホモイは嬉しさにわくわくしました。「特別に許してやろう。よく働いてくれ。」

次の日、お母さんの言いつけで鈴蘭の実を集めながら、ホモイは言いました。「ふん、大将が鈴蘭の実を集めるなんておかしいや。」すると足の下でもぐらがもくもくしました。ホモイは「もぐら、僕が偉くなったことを知ってるかい。鈴蘭の実を集めておくれ。」と命じます。もぐらは冷汗をかきながら、「どうかご免をねがいます。私は長くお日さまを見ますと死んでしまいますので。」と、しきりにおわびをしました。ホモイは怒って足をばたばたして「もういいよ、黙っておいで。」と申しました。もぐらが泣いて「私にできることをお言いつけ下さい。」と申しましたが、ホモイは「お前なんかいらないよ。」と足ぶみをして言いました。

栗鼠が「どうか私どもにおとらせ下さいませ。」と申し出て、たくさんの鈴蘭の実を集め、夕方までに大騒ぎしてホモイのうちに届けました。お父さんはそのようすを見ていましたが、「ホモイ、もぐらのうちではみんな泣いているよ。貝の火を見てごらん。きっと曇（くも）ってしまっているから。」と申しました。しかし貝の火は、いよいよ赤く燃えていたのでした。

次の朝早く、ホモイが野原に出ると、狐が「おあがりなさい。」と角（かく）パンを持ってきました。それが実にうまいのです。「これはどの木にできるのだい。」と尋（たず）ねるホモイに、狐は申しました。「ダアイドコロという木ですよ。」この日、お父さんとお母さんはうちの前で鈴蘭の実を干していました。お父さんは眼鏡を外して角パンをよくよく調べて、「これは盗んできた物だ。おれは食べない」と怒りますが、貝の火は、まだ美しく燃えていました。

次の日、ホモイは狐に言われます。「もぐらは野原の毒虫（どくむし）ですぜ。」「毒虫なら少しいじめてもよかろう。」狐が大きな石を起こし、隠れていたもぐらの親子を脅（おど）かしました。お父さんが来て「こらっ。」と怒りますが、貝の火は見たこともないくらい美しく燃えていました。

次の朝、霧がジメジメと降る森で、狐は「ひとつ動物園をやろうじゃありませんか。」と、網で小鳥たちを捕まえていました。小鳥たちはホモイを見ると安心して「あなたのお力でお助け下さい。」と頼みますが、狐が目をつり上げて「ホモイ。その箱に手をかけてみろ。泥棒め。」とどなり、ホモイは恐くなって一目散におうちに帰りました。

貝の火はやはり火のように燃えていましたが、一か所、針で突いたくらいの白い曇りができていました。お父さん、お母さんも手伝って、みんなで代わる代わる一生懸命に磨きました。ごはんの支度を忘れていたお母さんが「一昨日の鈴蘭の実と角パンだけを食べましょうか。」と言い、お父さんが「それでいいさ。」と言いました。みんなは黙ってごはんをすませました。

夜中、ホモイが目を覚ましてそっと見ると、貝の火は、魚の目玉のような銀色に変わっていました。ホモイは大声で泣きだしました。お父さんが起きて、急いで着がえながら言いました。「狐がまだ網を張っているかも知れない。お前は命がけで狐と闘うんだぞ。もちろんおれも手伝う。」ホモイは泣きながら立ち上がりました。狐はまだ網をかけていました。お父さんは、狐からガラスの箱を奪いとり、蓋を開けました。中には鳥が百匹ばかり、みんな泣いていました。箱から出てきて礼を言う鳥たちに、ホモイのお父さんが申しました。

「あなた方の王さまからいただいた玉を、とうとう曇らせてしまったのです。」すると鳥がいっぺんに、「ちょっと拝見したいものです。」と言いました。鳥たちがホモイのうちに来て、お父さんが「もうこんな具合です。」と白い石になった玉を持ちあげたとたん、玉はカチッと音を立て、二つに割れたかと思うと、パチパチパチッと鳴って煙のように砕けてしまいました。

　砕けた玉からは白い粉が出て、ホモイの目に入りました。すると、あたりの煙は再び集まって、また元の通りの美しい貝の火になると、窓からヒューと飛んでいってしまいました。鳥たちが去ると、ホモイの目は白い玉のように濁って、見えなくなっていました。お父さんはじっと考えていましたが、ホモイの背中を静かに叩いて言いました。

「泣くな。こんなことはどこにでもある。それをよくわかったお前は、いちばん幸いなのだ。目はきっとよくなる。お父さんがよくしてやるから。」

　盛岡中学時代の賢治は「運動神経が鈍く不器用であるが、ユーモラスなところがあり、内向的だがおどけて、おしゃべりで、不平・憤慨屋で、扇動家でもあり、舎監排撃の先頭に立って舎監に悪戯をするが、反面、行き過ぎた行動をすぐ反省するところもある」と評され、進学の望みがないためか成績も「後ろから数えた方が早かった」そうです。

　そんな賢治が法華経を信仰するようになったのは、中学を卒業した年の9月、家業を嫌う賢治を見かねた父から、ようやく盛岡高等農林学校の受験を許されたころに、島地大等(しまじだいとう)編『漢和対照妙法蓮華経(かんわたいしょうみょうほうれんげきょう)』を読み、和訳された法華経の教えに大いに感動したためと言われます。と同時に、浄土真宗を信仰する父、政次郎(まさじろう)への反発が深まりました。

　盛岡高等農林を卒業したのちも、賢治は研究生として稗貫(ひえぬき)郡の土性(どせい)調査に携(たずさ)わりました。しかし、大正7（1918）年の6月、21歳で結核性の肋膜炎(ろくまくえん)と診断されると、7月には退学の決意を固めています。この夏、賢治は思うところあったのか、家族の前で「蜘蛛となめくじと狸」「双子の星」「貝の火」を朗読したと伝えられます。

　研究生を辞めると、再び苦手な店番をすることになり賢治は悶々(もんもん)とします。信仰の違いによる父との対立も激化しました。賢治は日蓮主義の宗教団体「国柱会(こくちゅうかい)」に入会すると、とうとう大正10（1921）年の1月23日に家出をして上京し、ガリ版切りなどの仕事をしながら国柱会で奉仕活動をします。そして2月、国柱会の理事、高知尾智耀(たかちおちよう)から、「法華文学の創作」を勧(すす)められました。賢治が本格的におはなしを書くようになったのはそれからで、花巻高等女学校に勤めていた妹のトシが8月に喀血(かっけつ)をし、電報で呼び戻されたときには、大トランクいっぱいの原稿を持ち帰ったということです。

　その年の12月3日、賢治は稗貫農学校に就職します。教え子によると、賢治は授業の終わり10分ほどで、おはなしや心象スケッチを朗読するのが常で、大正11（1922）年の11月には「貝の火」も読まれました。「正直、ちんぷんかんぷんなおはなしが多かった」と言われるなか、このおはなしに感激した教え子のひとりは原稿を借りて筆写（ひっしゃ）しました。

「貝の火」は、宝石のオパールからイメージしたのでしょう。オパールの成分は、貝などが化石になる過程でカルシウムと置き換わるため、すっかり貝のかたちをしたオパールも見つかります。またオパールはその構造から、「遊色（ゆうしょく）」と呼ばれる虹色の光を現します。

不思議なのは「スズラン」です。スズランは有毒植物なのに、ホモイの家族はその実を食べるのです。スズランに毒があることを賢治が知らなかったとは、わたしにはどうしても思えません。無理にも納得するには、この両親には薬草の知識があり、スズランを解毒（げどく）できると読まざるを得ません。ホモイが倒れたとき、お母さんは「万能散」を出していました。スズランの毒には強心（きょうしん）作用があり、薬草として扱われた時代もあります。目が見えなくなったホモイに対し、お父さんがかける言葉、「目はきっと又よくなる。お父さんがよくしてやるから」は、根拠（こんきょ）のない慰め（なぐさめ）ではないのでしょう。

さらに読みを深めれば、ホモイもまた、賢治の分身です。賢治は父に反発し、貧しいひとを相手に商売をする質屋（しちや）を嫌悪（けんお）しながら、その稼ぎで暮らしてきました。それは賢治にとって、有毒のスズランの実を食べているように、苦々しく感じられたのかも知れません。

ついに貝の火が光を失った晩、家族は鈴蘭の実と角パンだけを食べます。盗んだパンなど食べないと言っていたお父さんがそれを食べたとき、この父は、息子がどうなっても見捨てまいと決心していたのでしょう。「貝の火」は、父に対する複雑な思いが見え隠れするおはなしです。

祭の晩

山の神の秋の祭りの晩でした。

亮二は新しい水色のしごき帯をしめ、十五銭を貰って出かけました。祭りでは「空気獣」という見世物が大繁盛でした。髪を長くして、だぶだぶのずぼんをはいた男が、「さあ、みんな、入れ入れ。」と大威張りでどなっていました。亮二が看板の近くまで行くと、いきなりその男が「おい、早く入れ。銭は戻りでいいから。」と叫び、亮二は思わず、つっと木戸口を入ってしまいました。小屋の中には、だいぶ知っている人たちもいて、みんなおかしいような真面目なような顔をして、まん中の台の上を見ていました。

そこには、空気獣がねばりついていたのです。それは大きな平べったい白いもので、どこが頭だか口だか分からず、こっち側から棒で突っつくと向こうが膨れ、向こうを突つくとこっちが膨れました。亮二が急いで出ようとすると、あぶなく倒れそうになって、隣りの頑丈そうな男にぶつかりました。それは古い白縞の単物に、蓑のようなものを着た、顔の骨ばった赤い男で、向こうも驚いたように亮二を見下ろしました。

その目はまん丸で、すすけたような黄金色でした。亮二が不思議がってしげしげと見ていましたら、その男はいきなり目をぱちぱちっとさせて、急いで木戸口の方に行き、堅く握っていた右手を開いて十銭銀貨を出しました。

亮二も同じような銀貨を木戸番に渡して表に出ましたら、従兄の達二に会い、その男の広い肩は、みんなの中に入って見えなくなってしまいました。達二は見世物の看板を指さしながら、声をひそめました。「お前はこの見世物に入ったのかい。こいつはね、実は牛の胃袋に空気を詰めたものだそうだよ。こんなものに入るなんて、ばかだな。」

　亮二がぼんやりとその看板を見ているうちに、達二がまた言いました。「おいらは、まだお神輿さんを拝んでいないんだ。あしたまた会おうぜ。」亮二も急いでそこを離れました。いっぱいに並んだ屋台の青い苹果や葡萄が、アセチレンのあかりで光っています。

　向こうの神楽殿には五つばかり提灯がついて、これからお神楽が始まるところでした。すると、ひのきの陰の暗い掛茶屋の方で、何か大きな声がして、みんながそっちへ走っていきました。亮二も急いで駆けていって、みんなの横からのぞき込みました。すると、さっきの大きな男が髪をもじゃもじゃにして、村の若い男にいじめられているのでした。男は額から汗を流して、何べんも頭を下げていました。何か言おうとするのですが、言葉が出ません。

　てかてか髪を分けた村の若者が、みんなが見ているのでいよいよ勢いよくどなりました。「早く銭を払え、銭を。ないのか。ないならなして物食った。」男はひどく慌てて、やっと言いました。「た、た、た、薪百把持ってきてやるがら。」掛茶屋の主人は耳が少し悪いらしく、それを聞きとりかねてかえって大声で言いました。「何だと。たった二串だと。当たり前さ。団子の二串やそこら、くれてやってもいいのだが、おれはどうも、きさまの物言いが気に食わないのでな。」

　男は汗を拭きながら、またやっと言いました。「薪をあとで百把持って来てやっから、許してくれろ。」すると若者が怒りました。「嘘をつけ、どこの国に団子二串に薪百把払うやつがあっか。ぜんたいきさま、どこのやつだ。」「そ、そ、そ、そ、そいつはとても言われない。許してくれろ。」男は黄金色の目をぱちぱちさせて、汗をふきふき言いました。いっしょに涙も拭いたようでした。「ぶん撲れ。」誰かが叫びました。

亮二はすっかりわかりました。（あんまり腹がすいて、さっき空気獣で十銭払ったのも忘れて団子を食ってしまったのだ。泣いている。悪い人でない。よし、僕が助けてやろう。）亮二はがま口から、ただ一枚残った銭を出して、みんなを押し分け、その男のそばまで行きました。男は首を垂れ、手をきちんと膝まで下げて、一生懸命、口のなかで何か言っていました。亮二はしゃがんで、その男の草履をはいた足の上に、黙って銭を置きました。

男はびっくりして亮二の顔を見ていましたが、やがていきなり屈んでそれをとるや、主人の前の台にぱちっと置いて、「そら、銭を出すぞ。これで許してくれろ。薪を百把あとで返すぞ。栗を八斗あとで返すぞ。」言うが早いか、風のように逃げてしまいました。

「山男だ、山男だ。」みんなは叫んで、後を追おうとしましたが、もうどこへ行ったか、影も形も見えませんでした。神楽の笛が始まりましたが、亮二はもうそっちには行かないで、急いで家に帰りました。早くお爺さんに、山男の話を聞かせたかったのです。

お爺さんはたった一人、いろりに火をたいて枝豆を茹でていました。亮二は急いでその向かいに座って、さっきのことをみんな話しました。おじいさんは、黙って亮二の話を聞いていましたが、おしまいとうとう笑いだしてしまいました。

「ははあ、そいつは山男だ。山男というのは、ごく正直なもんだ。おれも霧（きり）の深い時、たびたび山で遭（あ）ったことがある。しかし山男が祭りを見に来たのは今度がはじめてだろう。はっはっは。いや、いままでも来ていても、見つからなかったのかな。」「おじいさん、山男は山で何をしているんだろう。」「そうさ、木の枝で狐（きつね）わなを拵（こしら）えたりしているそうだ。」

その時、表の方でどしんがらがらがらっという大きな音がして、家は地震の時のように揺れました。お爺さんと亮二が外に出てみると、家の前の広場には薪が山のように投げ出されていました。太い根や枝までついた、ぼりぼりに折られた太い薪でした。「はっはっは、山男が薪をお前に持ってきてくれたのだ。おれはまた、団子屋にやるということだろうと思っていた。山男もずいぶん賢（かしこ）いもんだな。」お爺さんが手を叩（たた）いて笑いました。

亮二は薪をよく見ようとしてそっちへ進みましたが、何かに滑（すべ）って転びました。見ると、そこらいちめん、きらきらきらきらする栗の実でした。亮二は起き上がって叫びました。「お爺さん、山男は栗も持ってきたよ。」「栗まで持ってきたのか。こんなに貰（もら）うわけにはいかない。今度、何か山へ持っていって置いてこよう。いちばん着物がよかろうな。」

亮二は何だか、山男がかわいそうで、泣きたいようなへんな気持ちになりました。「お爺さん、山男はあんまり正直でかわいそうだ。僕、何かいいものをやりたいな。」「うん、今度夜具（やぐ）を一枚持っていってやろう。山男は夜具を綿入（わたい）れの代わりに着るかも知れない。それから団子も持っていこう。」

亮二は叫びました。「着物と団子だけじゃつまらない。もっともっといいものをやりたいな。山男が嬉しがって泣いてぐるぐる跳ねまわって、それから体が天に飛んでしまうくらいいいものをやりたいなあ。」お爺さんは、「うん、そういういいものがあればなあ。さあ、家に入って豆を食べろ。」と言いながら、家の中に入りました。亮二は青い斜めなお月さまを眺めました。風が山の方で、ごうっと鳴っております。

賢治のおはなしには、「山男」が登場するものがいくつもあります。『注文の多い料理店』に収められた「山男の四月」には、「金いろの眼を皿のやうにし、せなかをかがめて、にしね山のひのき林のなかを、兎をねらつてあるいてゐました」とあり、同じく「狼森と笊森、盗森」では、「黄金色の目をした、顔のまつかな山男」とあります。また「さるのこしかけ」では「茶色のばさばさの髪と巨きな赤い顔」で、「紫紺染について」には「黄金色目玉あかつらの西根山の山男」とあります。

「にしね山」とは、盛岡などの町から西のほうに見える山の連なりを指すものでしょう。賢治は山男について、確かなイメージを持っているようです。「紫紺染について」では「せなかに大きな桔梗の紋のついた夜具をのっしりと着込んで鼠色の袋のやうな袴をどふっとはいて」現れ、みんなは「山男があんまり紳士風で立派なので」すっかり驚いてしまいます。もっともそれは、山男が前の日に本屋に来て、「知って置くべき日常の作法」という本を買ったからなのですが。賢治の描く山男は、なにやら身近です。

山男と言えば、柳田國男の『遠野物語』にも出てきます。ただ、いずれも凄みのある描写で、賢治の書くとぼけた山男とは印象が異なります。『遠野物語』は、遠野出身の佐々木喜善から聞いた話を柳田が筆記し、まとめたものです。その「序文」に、「願わくはこれを語りて平地人を戦慄せしめよ」とあるように、柳田の手を経ることで、文学的な格調が高まるとともに、図らずも凄みが増したのかも知れません。

いっぽう、『遠野物語』の続編を願う柳田の要望により、喜善が集めた話を柳田の弟子がまとめたとされるのが『遠野物語拾遺』です。こちらの山男は、『遠野物語』のそれよりずいぶん愛嬌があり、賢治の山男に通じるものがあります。

たとえば「目をきらきらと丸くして」こちらを見ていたり、村人が山に持参した餅を「少しくれ」とねだったり、食べて「ああうまかった」と喜んだり、「餅を三升ほど搗いて、何月何日にお前の庭に出しておいてくれ」と言って、そのとおりにすると、「はたして夜ふけに庭の方で、どしんという大きな音」がして、蓑を作るのに使うマダの木の皮がどっさり置かれたりします。「にしね山」と音が似ている「西内山(にしないやま)」にいる山男もいます。

喜善が集めたのと同じような話を、賢治はどこかで耳にしたのでしょうか。

賢治と喜善のつき合いは、昭和３（１９２８）年、賢治が32歳のころに始まります。賢治が大正15年に『月曜』２月号に発表した「ざしき童子(わらし)のはなし」を、喜善が自身の論考に引用したいと申し入れたのです。賢治はそれに対し、８月８日づけの書簡で返信しています。

「旧稿ご入用の趣まことに光栄の至りです。（中略）ご高名は伺って居(お)りますのでこの機会を以(もっ)てはじめて透明な尊敬を送りあげます」。

喜善は賢治より10歳年上でしたが、エスペラントや民俗学など共通の話題があり、以後、行き来を重ねます。昭和８（１９３３）年、賢治の死を知った喜善は号泣したそうです。そして賢治の死から８日後の９月29日、喜善もまた、病でこの世を去りました。

「山男はあんまり正直でかあいそうだ」

と思いやる亮二の姿は、賢治と喜善に重なります。柳田の言う平地人に比べたら、どちらかと言うとふたりとも、山男のこころを持った人間だったと思われます。

山男を喜ばせたくて、「もっともっといいものをやりたいなあ」と言う亮二の優しさは、賢治のこころそのものです。

雪渡り

雪がすっかり凍って大理石よりも堅くなり、空も冷たい滑らかな石の板で出来ているらしいのです。

「堅雪かんこ、凍み雪しんこ。」お日さまがまっ白に燃えて、百合の匂いをまき散らし、また雪をぎらぎら照らしました。木はみんなザラメをかけたように霜でぴかぴかしています。「堅雪かんこ、凍み雪しんこ。」四郎とかん子は、小さな雪沓を履いてキックキックキック、野原に出ました。

こんな面白い日が、またとあるでしょうか。いつもは歩けない畑や野原を、どこまでも行けるのです。雪の平らなことは、まるで一枚の板です。そしてそれが、たくさんの小さな小さな鏡のようにキラキラ光るのです。

二人は森の近くまで来ると、「堅雪かんこ、凍み雪しんこ。狐の子ぁ、嫁ほしい、ほしい。」と高く叫びました。しばらくしいんとしましたので、二人がもう一度叫ぼうとして息を吸ったとき、森のなかから「凍み雪しんしん、堅雪かんかん。」と言いながら、キシリキシリ雪を踏んで白い狐の子が出てきました。

四郎はぎょっとしましたが、かん子を後ろにかばって叫びました。「狐こんこん白狐、お嫁欲しけりゃ、とってやろよ。」すると狐が、まだ小さいくせに銀の針のようなひげをピンと一つひねって言いました。「四郎はしんこ、かん子はかんこ、おらはお嫁はいらないよ。」四郎が笑って「狐こんこん、狐の子、お嫁がいらなきゃ餅やろか。」狐の子も頭を二つ三つ振って「四郎はしんこ、かん子はかんこ、黍の団子をおれやろか。」かん子もあんまり面白いので、四郎の陰に隠れたまま、「狐こんこん狐の子、狐の団子は兎（うさ）のくそ。」と歌いました。すると小狐紺三郎（こぎつねこんざぶろう）が笑って言いました。「いいえ、決してそんなことはありません。私らは全体いままで人をだますなんて無実の罪をきせられているのです。」四郎が「そいじゃ狐が人をだますなんて嘘（うそ）かしら。」と尋（たず）ねると、「嘘ですとも。だまされたという人は、たいていお酒に酔ったり臆病でくるくるしたりした人です。とにかくお団子をおあがりなさい。私のは、ちゃんと私が畑を作って播（ま）いて草をとって刈って叩いて粉にして練ってむしてお砂糖をかけたのです。」

　四郎が笑って「この次におよばれしようか。」と言うと、「そんなら今度幻燈会（げんとうかい）のとき差し上げましょう。この次の雪の凍った月夜の晩です。入場券をあげておきましょう。」「そんなら五枚おくれ。」「あとの三枚はどなたのですか。」「兄さんたちだ。」「兄さんたちは十一歳以下ですか。」「いや。」紺三郎は「それでは残念ですが、お兄さんたちはお断りです。」と言いました。「幻燈は、第一が『お酒を飲むべからず』。これはあなたの村の太右衛門（たえもん）さんと清作（せいさく）さんが、お酒を飲んで野原にあるへんてこなお饅頭（まんじゅう）やお蕎麦（そば）を食べようとしたところです。第二が『わなに注意せよ』。これは私どものこん兵衛（べえ）が、わなにかかったのを絵に描いたのです。第三が『火を軽蔑（けいべつ）すべからず』。これも私どものこん助が、あなたのおうちへ行って尻尾（しっぽ）を焼いた景色です。ぜひお出（い）でください。」二人は喜んでうなずきました。

　狐はキックキックトントンと足踏みし、「凍み雪しんこ、堅雪かんこ、野原の饅頭はポッポッポ。酔ってひょろひょろ太右衛門が、去年、三十八、食べた。」と歌いました。四郎もかん子もすっかり引きこまれて、狐といっしょに踊っています。キック、キック、トントントン。キック、キック、トントン。キック、キック、キック、キック、トントントン。やがて狐が言いました。「雪が柔らかになるといけませんから、もうお帰りなさい。」

　そこで二人は、「堅雪かんこ、凍み雪しんこ。」と歌いながらおうちへ帰りました。


　青白い大きな十五夜のお月さまが出て、雪が堅く凍った晩、四郎はかん子にそっと言いました。「今夜、狐の幻燈会なんだね。」するとかん子は、「行きましょう、行きましょう。」と高く叫び、それを聞いた二番目の兄さんが「僕も行きたいな。」と言いました。

　四郎は困って肩をすくめ、「だって、狐の幻燈会は十一歳までですよ。入場券に書いてあるんだもの。」「どれ、ちょっとお見せ。ははあ、学校生徒の父兄にあらずして十二歳以上の来賓は入場をお断り申し候。僕はいけないんだね。仕方ないや。お前たち、行くんならお餅を持っていっておやりよ。」四郎とかん子は雪沓を履き、お餅をかついで外に出ました。兄弟の一郎二郎三郎は戸口に並んで立って、「行っておいで。大人の狐に会ったら急いで目をつぶるんだよ。そら僕ら囃してやろうか、堅雪かんこ凍み雪しんこ。」と叫びました。

　二人が森の入口まで来ると、胸にどんぐりの記章をつけた白い小さな狐の子が立っていました。「こんばんは。入場券はお持ちですか。」「持っています。」「さあ、どうぞあちらへ。」狐の子は、もっともらしく体を曲げて目をパチパチしながら林の奥を指しました。林のなかの空き地には、もう狐の学校生徒が集まって、すもうをとったりしています。その前の木の枝に、一枚の敷き布が下がっていました。

後ろで、「こんばんは。よくお出ででした。」という声がしました。ふり向いてみると紺三郎です。立派な燕尾服を着て、水仙の花を胸につけまっ白なハンカチでそのお口を拭いています。四郎はおじぎをして、「この間は失敬。それから今晩はありがとう。このお餅を皆さんであがってください。」紺三郎は胸を張り、すまして受けとりました。幕の横に「寄贈、お餅たくさん、人の四郎氏、人のかん子氏」と大きな札が出され、狐の生徒は喜んで手を叩きました。

そのときピーと笛が鳴り、紺三郎が咳払いをしながら出てきました。「さて、ただいまから幻燈会をやります。」また笛がピーと鳴りました。『お酒を飲むべからず』。大きな字が幕に映り、それが消えて写真が映りました。一人の酒に酔ったおじいさんが、何かおかしな円いものをつかんでいる景色です。別の写真も映りました。一人の酒に酔った若者が、ホオの木の葉で拵えたお椀のようなものに顔を突っこんで何か食べています。

写真が消え、ちょっと休みになりました。狐の女の子が、黍団子をのせたお皿を二つ持ってやって来ました。四郎は弱ってしまいました。なぜって、たったいま、太右衛門と清作とが悪いものを知らずに食べたのを見ているのです。狐の学校生徒は、「食うだろうか。ね。食うだろうか。」なんて、ひそひそ話し合っています。四郎は決心して言いました。「ね、食べよう。僕は紺三郎さんが僕らをだますなんて思わないよ。」二人は黍団子を食べました。その美味しいことは、頬っぺたも落ちそうです。狐の学校生徒はもうあんまり喜んで、みんな踊り上がってしまいました。キックキックトントン、キックキックトントン。

笛がピーと鳴り、残り二つの幻燈も終わりました。紺三郎が出てきて、「今夜みなさんは深く心に留めなければなりません。それは狐のこしらえたものを、賢い少しも酔わない人間のお子さんが食べてくださったということです。」と話し、狐の生徒はみんな感動して、ワーッと立ち上がりました。そしてキラキラ涙をこぼしたのです。

「それではさようなら。」紺三郎がていねいにおじぎをし、二人もおじぎをして、うちの方に帰りました。二人が森を出て野原を行くと、その青白い雪の野原のまん中に三人の黒い影が見えました。

それは、迎えにきた兄さんたちでした。

生前の賢治が、生涯でただ一度だけ、原稿料を貰った作品として知られています。その額、５円。雑誌は母イチが購読していた『愛国婦人』で、大正10（１９２１）年12月号と翌年１月号の、２回に分けての掲載でした。この雑誌には、「雪渡り」が載る前の大正10年９月号にも、

「あまの川」という童謡の歌詞が掲載されました。

「あまのがは／岸の小砂利も見いえるぞ。／底のすなごも見いえるぞ。／いつまで見ても、／見えないものは、水ばかり。」

こちらは「応募童謡」欄に賢治が投稿したもので、作者の名前は載りませんでした。『愛国婦人』は、「愛国婦人会」の機関紙でした。町会議員を務めていた父、政次郎の妻として、イチもまた、慈善活動を行う婦人団体に属していたのでしょう。家出先の東京から、原稿を抱えて戻った息子に、イチが投稿を勧めたのかも知れません。

イチは、その母サメゆずりの明るく優しい性格で、他者を思いやる気持ちの強い賢治の性格は、主に母から伝えられたものと言われます。賢治の作品が雑誌に掲載されたのを、イチをはじめ妹たちや、そのころ親しくなったばかりの恋人ヤスは、どんなにか嬉しく眺めたことでしょう。

このおはなしは、岩手の早春の雪のようすを、じつに美しく表現しています。2月の声を聞くと、積もった雪の表面は、昼のあいだに太陽の熱で溶かされます。その水分が夜になると再び凍って、1枚の板のようになります。これが「かた雪」です。そのうえに、そっと足を載せると、足は雪に沈むことなく、積雪の表面を、どこまでも歩いてゆくことができます。その楽しさは、寒い寒い北国に暮らすご褒美です。

「堅雪かんこ、凍み雪しんこ」というかけ声は、類似した歌詞を持つ古いわらべうたが青森や岩手に存在しており、それがヒントになっているようです。

また「キックキックトントン」の「キック」は、英語の「蹴る（kick）」と同じ音のせいか、「キック！」と勢いよく読みたくなりますが、わたし自身はかた雪を踏み抜いてしまわぬよう、慎重に足を運んだ記憶があります。

もっとも四郎とかん子は、まだ小さくて体重も軽いのでしょう。「キック！」と勢いよく跳ねても、かた雪を踏み抜いて、ずぼっと雪に沈んだりしないに違いありません。雪渡りという遊びは、子どもたちを選んで森へ連れてゆく、秘密の抜け道のような役割を果たしています。なにしろ入場券には「十二歳以上の来賓は入場をお断り申し候」と書かれているのです。

12歳はおとなの入り口です。そしてそのころから、多くのひとが自然と交感する力を失ってゆくことを、賢治は感じとっていたのでしょう。賢治は10歳のときに鉱物採集と昆虫採集に熱中しますが、以後、鉱物への関心は冷めることなく、家族から「石コ賢さん」と呼ばれたのは有名です。盛岡中学に進むと、夢中で盛岡周辺の山を歩きまわりました。そんなふうに自然への興味を持ち続けることができたのは、賢治が父に反発しながらも、経済的にも精神的にも「子ども」であり続けたためでしょうか。

人間社会では、早くおとなになることが求められます。けれども自然と交感する力は、なくさないに越したことはありません。いくつになっても子どものこころを失わぬよう、空や雲や身近な緑に、日々、目を向けていたいものです。

土神ときつね

一本木の野原の北のはずれに、一本のきれいな女の樺の木がありました。五月には白い花を雲のようにつけ、秋には黄金や紅やいろいろの葉を降らせました。

この木に、二人の友だちがいました。一人は、五百歩ばかり離れた谷地に住んでいる土神で、一人は野原の南の方から来る茶色の狐です。樺の木は、どちらかと言えば狐の方が好きでした。土神は、神という名こそあれ乱暴で、髪は木綿糸の束のよう、目は赤く服はまるでワカメに似、いつも裸足で爪も黒く長いのです。狐の方は上品なふうで、滅多に人を怒らせたりしません。ただ、土神の方は正直で、狐は少し不正直だったかも知れません。

夏のはじめのある晩、空には天の川がしらしらと渡るその下を、狐が詩集を持っていきました。仕立ておろしの紺の背広を着て、赤革の靴もキッキッと鳴ったのです。「実に静かな晩ですねえ。」「ええ。」「星というのは、はじめはぼんやりとした雲のようなもんだったんです。いまの空にもたくさんあります。環状星雲というのもあります。魚の口の形ですから魚口星雲とも言いますね。僕、水沢の天文台で見ましたがね。」「まあ、あたしも見たいわ。」「見せてあげましょう。僕、望遠鏡をドイツのツァイスに注文してあるんです。来年の春までには来ますから。」狐は思わず言ってから、ああ、僕はたった一人のお友だちに、また嘘をついてしまった、けれど決して悪気で言ったんじゃない。喜ばせようとして言ったんだ。あとで本当のことを言ってしまおう、と考えました。狐はハイネの詩集を樺の木に貸すと、忙しく帰っていきました。

夜が明け、太陽が昇りました。朝日のなかを、土神がゆっくりとやって来て、静かに樺の木の前に立ちました。「おはよう。どうも考えてみると、分からんことがたくさんある。」「まあ、どんなことでございますの。」「草というものは黒い土から出るのだが、なぜこう青いもんだろう。黄や白の花さえ咲くんだ。」樺の木は、うっとりと昨夜の星の話を思っていたので、つい言ってしまいました。「狐さんにでも聞いてみましたらいかがでございましょう。」

この言葉を聞いて、土神は顔色を変えました。「何だ。狐なんぞに神がものを教わるとは何たることだ。」土神は、歯を噛み高く腕を組んで、そこらを歩きまわりました。「狐のごときは実に世の害悪だ。ただひと言もまことはなく、卑怯で臆病で非常に妬み深いのだ。」樺の木が、気をとり直して言いました。「あなたの方のお祭りも近づきましたね。」「そうじゃ。今日は五月三日、あと六日だ。」土神はしばらく考えていましたが、にわかに声を荒らげました。「しかしながら人間どもは不届きだ。近ごろはわしの祭りにも、供物一つ持って来ん。」考えれば考えるほど癪に障ってくるらしく、土神は怒って自分の谷地に帰っていきました。

土神の棲んでいるところは冷たい湿地で、そのまん中の小さな島に、丸太で拵えた祠がありました。そこへ南の方から一人の木樵がやって来ました。土神は右手を突き出し、左手でその手首をつかんで引っ張るようにしました。すると木樵は、だんだん谷地の方へ引きこまれます。土神が右手の拳を回すと、木樵も同じところを回って歩いてしまいます。木樵はひどく慌て、泣きだし、とうとうのぼせて倒れてしまいました。

土神は髪を掻きむしって考えました。おれがこんなに面白くないのは、第一は狐のためだ。

それよりは樺の木のためだ。けれども樺の木のことは、おれは怒ってはいないのだ。おれはいやしくも神だ。樺の木のことなど忘れてしまえ。ところがどうしても忘れられない。おれはむしゃくしゃまぎれに、あんな哀れな人間などをいじめたのだ。けれども仕方がない。誰だってむしゃくしゃしたときは、何をするか分からないのだ。

　八月のある霧(きり)の深い晩でした。土神は寂しくて、ふらっと自分の祠を出ました。足はいつの間にか、樺の木の方に向かっていました。土神は樺の木のことを考えると、胸がどきっとするのでした。そしてたいへんに切なかったのです。そのうちに、ずいぶん行かなかったのだから、ことによると樺の木は自分を待っているかも知れない、どうもそうらしい、そうだとすれば、たいへんに気の毒だ、という考えが起こってきました。ところが土神は、頭から青い色の悲しみを浴びて、つっ立たなければなりませんでした。それは、狐が来ていたのです。

　狐の声がし、静かな樺の木の声がしました。土神はまるで、べらべらとした桃色の火で体中が燃やされているように感じました。息がせかせかして、ほんとうにたまらなくなりました。何がお前をそんなに切なくさせるのか。たかが樺の木と狐との短い会話ではないか。そんなものに心を乱されて、それでもお前は神と言えるのか。土神は、自分で自分を責めました。

「あなたのお書斎(しょさい)、どんなに立派でしょう。」「いいえ、まるで散らばってますよ。あっちの隅(すみ)には顕微鏡(けんびきょう)、こっちにはロンドンタイムス。」ふんと狐の謙遜(けんそん)のような自慢のような息がしました。土神はもう、いても立ってもいられませんでした。狐の言うのを聞いていると、まったく狐の方が自分より偉いのでした。ああ、つらい、つらい、もう飛び出していって狐をひと裂きにしてやろうか。けれどもそんなことは夢にもおれの考えるべきことじゃない。

「いつかの望遠鏡、まだ来ないんですの。」「ええ、欧州航路は混乱してますからね。」土神は両手で耳を押さえ、一目散に走りました。黙っていたら、自分が何をするか分からないのが恐ろしかったのです。土神は倒れ、頭をかきむしって草をころげまわり、大声で泣きました。

秋になりました。すきとおるように黄金の秋の日、土神は上機嫌でした。夏からのつらい思いが靄のようなものに変わり、頭の上に環になってかかったような気がしました。樺の木など、狐と話したいなら話すがいい。今日はそう言ってやろうと思い、心も軽く歩いていきました。「樺の木さんおはよう。実にいい天気だな。わしはな、今日は大変に気分がいいんだ。わしは、いまなら誰のためにでも命をやる。」その眼も黒く立派でした。

　そのときです。狐がやって来たのです。茶色のレインコートを着て、夏帽子をかぶっています。「そちらにおられるのは土神ですね。」「わしは土神だ。いい天気だ。な。」土神は明るい心持ちで言いました。狐は嫉ましさに顔を青くしながら、「お客さまのお出でのところに失礼しました。望遠鏡は、いつか晴れた晩にお目にかけます。さよなら。」と、土神に挨拶もしないで、さっさと戻りはじめました。

　土神は、ぼんやりと狐を見送っていましたが、その赤革の靴がキラッと光るのに驚いて我に返ると、とたんに頭がぐらっとしました。狐が肩をいからせて、ぐんぐん向こうへ歩いているのです。土神はむらむらっと怒り、顔をまっ黒に変えて、いきなり狐の後を追いました。狐はさっと顔色を変え、風のように走って逃げました。「もうおしまいだ、もうおしまいだ、望遠鏡、望遠鏡、望遠鏡。」狐は頭の片隅で、一心に考えながら走りました。

狐が小さな赤剝げの丘の丸い穴に入ろうとしたとき、土神はもう後ろから飛びかかっていました。土神は狐の体をねじり、地べたに叩きつけると、その穴に飛び込んでいきました。なかはがらんとして暗く、ただ赤土がきれいに固められているばかりでした。それから、ぐったりとしている狐のレインコートのポケットの中に手を入れてみると、そこには茶色なかもがやの穂が二本、入っていました。土神は、途方もない声で泣きました。その涙は、雨のように狐に降り、狐はうすら笑ったようになって死んでいたのです。

嫉妬や怒りにこころを支配される恐ろしさを、賢治も知っていたようです。

ここで恋の対象となっているのは、「一本木の野原」に生えた「綺麗な女の樺の木」です。ふつう「樺」と言うときにはシラカバなどの「カバノキ」のなかまを指します。けれども引っかかるのは、この木が「五月には白い花を雲のやうに」咲かせるという点です。カバノキのなかまは花粉を風に飛ばす風媒花で、目立った花びらを持つ花を咲かせません。

賢治は先に紹介したおはなし「やまなし」のなかでも、「白い樺の花びらが天井をたくさんすべつて来ました」と書いて、これと同じ引っかかりを作っていました。賢治は「やまなし」で、樺は「ヤマナシ」であると定義しているのです。

ヤマナシは、ヤス。このおはなしも、大畠ヤスとの恋が書かせたものと、わたしは思います。「土神ときつね」が書かれたのは大正12（1923）年ごろと推定されており、ふたりの恋が終わった時期と一致します。賢治はヤスを失い、「土神」のように苦しんだのでしょう。また原文を読むと分かりますが、このおはなしは明らかに韻を踏んでいます。韻を踏む言葉を探す「クラムボン」としての賢治が、ここにも確かにいるのです。賢治は文中に登場するハイネなど西洋の詩から、韻を踏むことを思いついたのかも知れません。

では、土神の恋敵である「きつね」は、ヤスの結婚相手なのでしょうか。賢治は「氷河鼠の毛皮」で、仮想の恋敵を「イーハトーブのタイチ」としていました。タイチはたくさんの毛皮を着ていましたから、きつねにその面影を重ねてもおかしくはありません。

しかし、いっぽうできつねは、いかにも賢治らしいのです。賢治とヤスの恋は、賢治が夢中になって収集したレコードをみんなにも聴かせようと、花巻高等女学校で音楽の教師をしていた藤原嘉藤治と相談し、レコードコンサートを開いたことに端を発します。中学時代の性格にも指摘されているように、じつは賢治はユーモラスでおしゃべりなのです。賢治の音楽の解説は面白く、コンサートに参加したひとのこころをとらえました。

大正時代のことですから、大っぴらに話す機会はそれほどなかったでしょうが、賢治は音楽のみならず、たくさんのことをヤスに語ったに違いないのです。詩集を貸し、さまざまな星の話をしたのでしょう。きつねは、賢治そのものに思われます。

おそらくは、土神もきつねも賢治なのです。賢治は柔和で静かな反面、激しやすい一面を持っていました。このおはなしで賢治は、ヤスという恋人と楽しく語っていた自分を、土地に縛(しば)られて生きる宿命を持った自分の手で、葬(ほうむ)ったのです。死んでしまったきつねのコートのポケットには、「茶色なかもがやの穂が二本」入っていました。それは賢治にとって、いつかどこかでヤスと暮らす、ささやかな幸せへの切符だったかも知れません。

ちなみに『春と修羅』に、「一本木野」という心象スケッチがあります。

「わたくしは森やのはらのこひびと／蘆(よし)のあひだをがさがさ行けば／つつましく折られたみどりいろの通信は／いつかぽけつとにはひつてゐるし／はやしのくらいとこをあるいてゐると／三日月がたのくちびるのあとで／肱(ひじ)やずぼんがいつぱいになる」

添えられた日づけは1923年10月28日です。賢治はきつねを葬り、ヤスとの幸せをあきらめたあと、「森やのはら」を恋人にして生きる決心をしたのでしょう。そのポケットには、ヨシの葉なのか、自然からの「みどりいろの通信」が入っていました。

シグナルとシグナレス

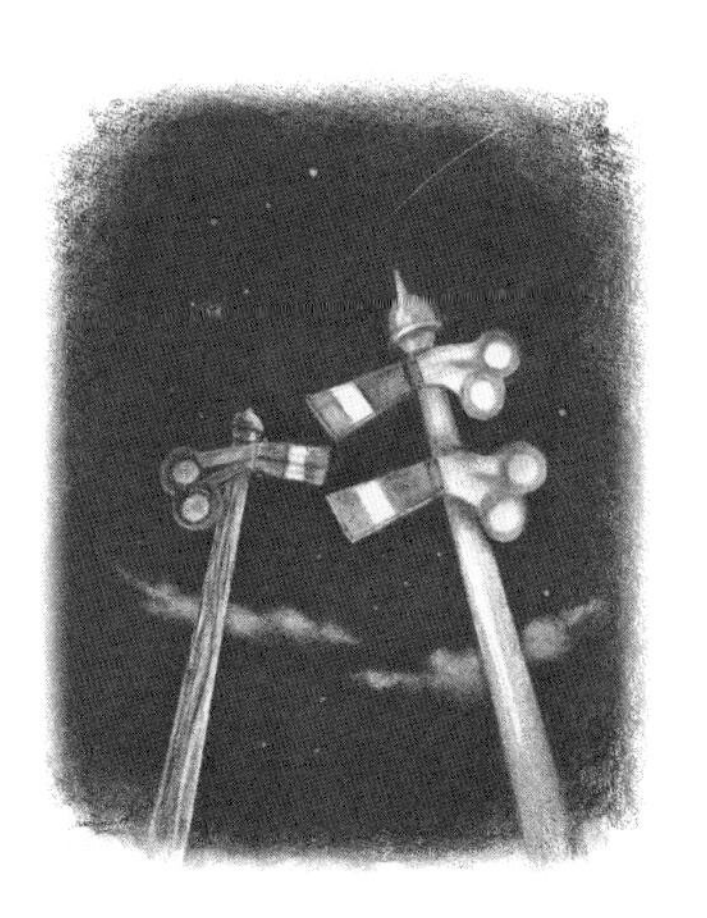

軽便（けいべん）鉄道の東からの一番列車が、歌いながらやって来てとまりました。そこで軽便鉄道づきの電信柱どもはぶんぶんとうなり、シグナルの柱はかたんと白い腕木（うでぎ）を上げました。この柱は、シグナレスでした。「カタン」後ろの方で音がしました。黒い枕木（まくらぎ）の向こうで、立派な本線のシグナル柱が、その硬（かた）い腕を下げたところでした。

「お早う今朝は暖かですね。」本線のシグナル柱は、まじめくさってあいさつしました。「お早うございます。」シグナレスはふし目になって答えました。

「若さま、いけません。これからはあんなものに声をおかけなさらないように願います。」本線のシグナルに夜電気を送る太い電信柱が、もったいぶって申しました。気の弱いシグナレスは、消えてしまいたいと思いました。

本線のシグナル柱が、そっと言いました。「本当を言ったら、僕なんか、あなたに怒られたら生きているかいもないんですからね。」「あらあら、そんなこと。」軽便鉄道のシグナレスは、困ったというように肩をすぼめましたが、その顔は、うれしさに光っていました。

「僕あなたくらい大事なものは世界中ないんです。どうか僕を愛してください。」

シグナレスは、じっと下の方を見て黙っていました。本線のシグナルはせっかちでしたから、シグナレスの返事のないのに、まるであわててしまいました。「シグナレスさん、あなたはお返事をくださらないんですか。ああ雷が落ちてきて、一ぺんに僕の体をくだけ。足もとから噴火が起こって、僕を空の遠くにほうりなげろ。」「ああ、シグナルさんもあんまりだわ、あたしが言えないでお返事もできないのを、すぐ怒(おこ)っておしまいになるなんて。」

その声が、シグナルの耳にはいりました。シグナルはふるえながら言いました。

「大丈夫です。僕ちっとも怒ってなんかいませんからね。僕、あなたのためなら眼鏡をみんなとられて、腕をみんなひっぱなされて、沼の底へたたき込まれたって、あなたをうらみはしませんよ。だから僕を愛してください。さあ僕を愛するって言ってください。」

「あたし、もう大昔からあなたのことばかり考えていましたわ。」

「そんならいいでしょう。結婚の約束をしてください。僕たちは春になったら燕(つばめ)にたのんで、みんなにも知らせて結婚の式をあげましょう。どうか約束してください。」

「だってあたしはこんなつまらないんですわ。」

「わかってますよ。僕にはそのつまらないところが尊(とうと)いんです。」

すると、さあ、シグナレスはあらんかぎりの勇気を出して言いだしました。

「でもあなたは金(かね)でできてるでしょう。新式でしょう。夜も電燈(でんとう)でしょう。あたしは夜だってランプですわ、それに木ですわ。」

「わかってますよ。だから僕はすきなんです。あなたはきっと、私の未来の妻だ。」

「ええ、そうよ、あたし決して変わらないわ。」

「約婚指環(エンゲージリング)をあげますよ、そら、ね、あすこの四つならんだ青い星ね。あのいちばん下の脚(あし)もとに小さな環(わ)が見えるでしょう、環状星雲(フィッシュマウスネビュラ)ですよ。あの光の環ね、あれを受け取ってください。

僕のまごころです。」

向こうのまっ黒な倉庫が、大きな声でどなりました。「ワッハッハ。大笑いだ。うまくやってやがるぜ。」二人はまるでしんとなってしまいました。ところが倉庫がまた言いました。「いや心配しなさんな。この事は決してほかへはもらしませんぞ。」

シグナルはシグナレスに話しかけます。「いろいろお話ししますから、あなたは頭をふってうなずいてだけいてください。僕たち早く結婚したいもんですね。あなたはほんとうに美しいんです。もっともほかの女の人、僕よく知らないんですけれどね、きっとそうだと思うんですよ。僕のはなし聞こえますか、僕の……。」

「若さま、さっきから何をべちゃべちゃ言っていらっしゃるのです。しかもシグナレス風情と、いったい何をにやけていらっしゃるんです。」いきなり本線シグナルつきの電信柱が、とてつもない声でどなりました。

シグナルは、どうせ風のために何を言っても同じことなのをいいことにして、「ばか、僕はシグナレスさんと結婚して幸福になって、それからお前にチョークのお嫁さんをくれてやるよ。」と、まじめな顔で言ったのでした。その声は、風下のシグナレスには聞こえましたので、シグナレスは怖いながら思わず笑ってしまいました。さあそれを見た本線シグナルつきの電信柱の怒りようと言ったらありません。

ああ、シグナルは一生の失策をしたのでした。シグナレスよりも少し風下に、耳のいい電信柱がいて、さっきからの話をみんな聞いていたのです。そこでさっそく、本線シグナルつきの電信柱に返事をしてやりました。本線シグナルつきの電信柱は、キリキリ歯がみをしながら聞いていましたが、すっかり聞いてしまうと激しくどなりました。

「くそ、えいっ。いまいましい。あんまりだ。犬畜生。結婚だなんて、やれるならやってごらんなさい。電信柱の仲間はもうみんな反対です。シグナル柱の人たちだって、鉄道長の命令にそむけるもんですか。」本線シグナルつきの電信柱は、すぐ四方に電報をかけ、それからしばらく、みんなの返事を聞いていました。


確かにみんなから、反対の約束をもらったらしいのです。


シグナルは力を落とし、シグナレスを見ました。シグナレスは泣きながら、汽車を迎えるために腕をさげ、そのいじらしいなで肩は、かすかにふるえておりました。

「シグナレスさん、僕たち二人だけ、みんなのいない遠いところへ行ってしまいたいね。」

「ええ、あたし行けさえするなら、どこへでも行きますわ。」

「ねえ、ずうっとずうっと天上にあの僕たちの約婚指環よりも、もっと天上に青い小さな小さな火が見えるでしょう。あすこは遠いですねえ。」「ええ。」シグナレスは小さな唇(くちびる)で、その火にキッスしたそうに空を見あげました。

「あすこの青い霧の火の中へ僕たちいっしょに座りたいですねえ。けれどあすこには汽車はないんですねえ、そんなら僕、畑をつくろうか。何か働かないといけないんだから。」「ええ。」「ああ、お星さま。どうか私どもをとって下さい。ああ、情け深いサンタマリヤ、また恵み深いジョウジスチブンソンさま、どうか私どもの悲しい祈りを聞いて下さい。」

二人は、霧の中から倉庫の屋根の落ちついた声が響いてくるのを聞きました。「お前たちは、全く気の毒だね。霧でお互いに顔も見えずさびしいだろう。おれが見えるようにしてやろう。いいか、おれのあとについて二人いっしょに真似をするんだぜ。ではアルファー。」「アルファー。」「ビーター。」「ビーター。」「ガムマー。」「ガムマーアー。」「デルター。」「デールーターアーアアア。」

実に不思議です。いつか二人は、まっ黒な夜の中に肩を並べて立っていました。

「おや、どうしたんだろう。あたりいちめんまっ黒びろうどの夜だ。」「まあ、不思議ですわね。まっくらだわ。」「いいや、頭の上が星でいっぱいです。見たこともない空の模様ではありませんか。」「あら、空があんまり速くめぐりますわ。」「ああ、大きな橙(だいだい)の星が地平線からいま上ります。おや、地平線じゃない。水平線かしら。ここは夜の海の渚(なぎさ)ですよ。」

二人は水の底に、赤いひとでや銀色のなまこ、青光りの棘(とげ)を動かす雲丹(うに)を見ました。何べん空がめぐったでしょう。「あら、何だかまわりがぼんやり青白くなってきましたわ。」「夜が明けるのでしょうか。おお立派だ。あなたの顔がはっきり見える。」「あなたもよ。」

「とうとう、僕たち二人きりですね。ここは空ですよ。これは星の中の霧の火ですよ。僕たちのねがいがかなったんです」もう、地球がどっちにあるかも分かりません。「きっといま秋ですね。そしてあの倉庫の屋根も親切でしたね。」

「それは親切とも。」いきなり太い声がしました。気がついてみると、ああ、二人ともいっしょに夢を見ていたのでした。いつか霧がはれて空いちめんの星がせわしくせわしくまたたき、向こうにはまっ黒な倉庫の屋根が笑いながら立っておりました。二人はまたほっと小さな息をしました。


東北本線の傍(かたわ)らに立つ金属製の「シグナル」と、岩手軽便鉄道の傍らに立つ優しい木の腕を持った「シグナレス」。賢治がこんな恋物語を思いついたのは、大畠ヤスの勤める花城(かじょう)小学校と、賢治の勤める農学校のあいだに、軽便鉄道が走っていたからでしょう。

『注文の多い料理店』の序で、「これらのわたくしのおはなしは、みんな林や野はらや鉄道線路やらで、虹や月あかりからもらつてきたのです」と書いているとおり、賢治は自然と同じくらい鉄道が好きでした。

前にも書きましたが、賢治とヤスの恋は、すでに破れていました。このおはなしは大正12

（１９２３）年の5月11日から、岩手毎日新聞に連載されたものです。

「僕たちは春になつたら燕にたのんで、みんなにも知らせて結婚の式をあげませう」

というシグナルのプロポーズからは、花咲き鳥が歌う春の景色が鮮やかに浮かび、それだけに、ヤスを失った賢治の悲しみの深さが迫ります。

シグナルのプロポーズに、シグナレスはためらいますが、シグナルは意に介さず、

「僕にはそのつまらないところが尊いんです」

と言います。岩手で生まれ育ったわたしは、小さなころから賢治を身近に感じてきましたが、賢治の書いたものを本気で読み解いてみようと思ったのは、じつを言うとおとなになってからのことです。信号機の恋物語という奇妙な設定に引かれ、ふと手にした「シグナルとシグナレス」で、このせりふに出会ったのがきっかけでした。

つまらないところが尊い。賢治は、

「あなたの目の前にあるそのつまらないものは、ほんとうにつまらないのですか？」

という強烈な問いを発していました。そしてそれは、わたしがエッセイストとして仕事をするようになり、虫をテーマにして文章を書いてきたのと、まったく同じ問いでした。わたしは虫を嫌うひとたちに対して、

「虫もかけがえのないいのちです。どうか虫を知り、その愛しさを見つけてください」

と、呼びかけ続けていたのでした。

以来、わたしは賢治の書いたものを、親しく読むようになりました。虫はもちろん、花について、カエルについて鳥について、山について川について、自分が文章を書く前に、賢治はいったい何と書いているだろうと、ページを繰るようになったのです。賢治の言葉は、意味が二重になっていたり、隠された意味があったりして、わたしはまるで謎解きをするようにして、少しずつ賢治の真意を探ってきました。

そうして15年ほど前、改めて「シグナルとシグナレス」を読んで確信したのです。ここに記された恋は、ほんとうのことに違いない、と。賢治の書いたおはなしは、どんなに空想的に見えても、必ずどこかに事実があるのです。そのころ賢治の恋は知られていませんでしたが、調べると、ヤスの存在が判明しました。

さらにはヤスのご遺族から、ふたりの恋はほんとうだった、とのご証言をいただくこともできました。周囲の反対によって壊れたとされるふたりの恋。もしかすると「つまらない」と言われたのは、花巻では変わり者で有名だった賢治のほうかも知れません。その尊さに気づいたヤスは、澄んだまなざしを持つ、感性豊かな女性だったと想像します。

シグナルがシグナレスに贈った「約婚指輪」は「環状星雲」でした。「土神ときつね」のなかで、きつねが樺の木に話した「魚の口の形」の星雲です。賢治とヤス、ふたりで星を見上げた夜が、確かにあったと思われます。

第六章　みらい

賢治に教えを受けた方の多くが、「今でも何かにぶつかったとき、宮澤先生だったらどうするだろう、と考えることがよくある」と語りました。賢治の書き残した言葉のなかには、わたしたちへのヒントがあるかも知れません。

セロ弾きのゴーシュ

　ゴーシュは町の活動写真館で、セロを弾く係でした。けれども、あまり上手ではないという評判でした。それどころか、実は仲間の楽師のうちではいちばん下手でした。

　昼すぎ、みんなは町の音楽会に出す第六交響曲の練習をしていました。にわかに楽長がどなりました。「セロが遅れた。トォテテ、テテテイ、ここからやり直し。はいっ。」ゴーシュは顔をまっ赤にしながら、やっとそこを弾きました。「セロっ。糸が合わない。ぼくはきみにドレミファから教えているひまはないんだ。」楽長が、どんと足を踏んでどなりました。「おい、ゴーシュ君。表情がまるでできてない。それにどうしても合わない。」

　その晩遅く、ゴーシュは巨きな黒いものを背負ってうちに帰りました。家は、町はずれの川端にある水車小屋で、ゴーシュはそこに一人でいて、午前はトマトの枝を切ったりキャベジの虫を拾ったりしていたのです。ゴーシュは黒い包みを開け、ごつごつしたセロを出すと、水を飲んでから、虎みたいな勢いで昼の曲を弾き始めました。ごうごうごうごう弾き続けました。

　そのとき誰か、後ろの扉をとんとんと叩くものがありました。すうっと扉を押して入ってきたのは大きな三毛猫で、半分熟したトマトをゴーシュの前に置いて言いました。「これおみやです。食べてください。」ゴーシュは「誰がトマトなど持ってこいと言った。それからそのトマトだっておれの畑のやつだ。行ってしまえ。猫め。」と怒りました。

　すると猫は、肩を丸くし、目をすぼめてはいましたが、口のあたりでにやにや笑って言いました。「シューマンのトロメライを弾いてごらんなさい。」「生意気なことを言うな。」ゴーシュはまっ赤になり、楽長がしたように足踏みをしてどなりましたが、にわかに気を変えて言いました。「では弾くよ。」ゴーシュは扉に鍵をし窓を閉め、あかりを消しました。「何を弾けと。」「トロメライ、ロマチックシューマン作曲。」「それはこういうのか。」セロ弾きはハンカチを裂(さ)いて自分の耳に詰め、嵐のような勢いで「印度(インド)の虎狩(とらがり)」という曲を弾き始めました。

猫はしばらく首を曲げて聞いていましたが、いきなり目をパチパチパチッとさせると、扉の方に飛びのき、目や額(ひたい)、口のひげや鼻から火花を出しました。「先生、もうたくさんです。」「黙(だま)れ。これから虎を捕(つか)まえるところだ。」猫は苦しがってゴーシュのまわりを回りました。ゴーシュも少しぐるぐるして、「さあ、これで許してやるぞ。」と演奏をやめると、猫はけろりとして「先生。今夜の演奏はどうかしてますね。」と言うのでした。

ゴーシュはまた癪(しゃく)に障(さわ)って、何気(なにげ)ないふうで巻きたばこを口にくわえ、いきなり猫の舌でシュッとマッチを擦(す)りました。さあ猫は驚いたの何の、逃げようとして扉にぶつかって、よろよろしました。ゴーシュは面白(おもしろ)そうに見ていましたが、「出してやるよ。もう来るなよ、ばか。」と言って、扉を開けてやりました。

次の晩も、ゴーシュはうちに帰って水を飲むと、ごうごうセロを弾いていました。もう何時だかも分からず弾いていますと、誰か屋根裏をこっこっと叩くものがあります。「猫、まだこりないのか。」ゴーシュが叫(さけ)ぶと、ぼろんと音がして天井の穴から降りてきたのはかっこうでした。「何の用だ。」「音楽を教わりたいのです。」「音楽だと。おまえの歌は、かっこう、かっこうというだけじゃあないか。」「ではあなたには分からないんです。かっこうと一万言えば、一万みんな違うんです。」

「そんなに分かっているなら、おれのところに来なくてもいいではないか。」「ところが私はドレミファを正確にやりたいんです。」「ドレミファもくそもあるか。」「ええ、外国へ行く前にぜひいるんです。」ゴーシュはボロンボロンと糸を合わせてドレミファを弾きました。「違います、違います。」「うるさいなあ。ではお前やってごらん。」

「かっこう。」「何だい。それがドレミファかい。」「むずかしいのは、これをたくさん続けたのがあるんです。」「つまりこうだろう。」セロ弾きはまた糸を合わせて「かっこうかっこうかっこうかっこうかっこう」と続けて弾き、かっこうはそれに合わせて鳴きました。しかしかっこうは、「もういっぺん弾いてください。あなたのは、いいようだけれども少し違うんです。」と言います。ゴーシュは苦笑いをして再び弾きはじめましたが、ふと、何だか鳥の方がほんとうのドレミファにはまっているかな、という気がして弾くのをやめました。

「なぜやめたんですか。ぼくらならどんな意気地（いくじ）ないやつでものどから血が出るまでは叫ぶんですよ。」「黙れっ。このばか鳥め。」ゴーシュはどんと足を踏み鳴らし、かっこうは驚いて飛び立ち、窓硝子（まどがらす）にぶつかって下に落ちました。ゴーシュは足で硝子を割り、かっこうは、そのがらんとなった窓の跡を、矢のように外へ飛び出していきました。

　次の晩も、ゴーシュが夜中過ぎまでセロを弾いて疲れて水を飲んでいますと、また扉をこつこつと叩くものがあります。今夜は何が来てもはじめから追い払ってしまおうと待ち構えておりますと、入ってきたのは、狸の子でした。ゴーシュは足をどんと踏み、「こら、狸。おまえは狸汁ということを知っているかっ。」とどなりましたが、狸の子は、「狸汁ってぼく知らない。」と言いました。「だってぼくのお父さんが、ゴーシュさんは怖くないから、行って習えと言ったよ。ぼくは小太鼓の係でねえ。セロと合わせてもらって来いと言われたんだ。」

　狸の子は背中から棒きれを二本出すと、「『愉快な馬車屋』を弾いてください。」と言いました。「何だ、『愉快な馬車屋』ってジャズか。」「あっ、この譜だよ。」狸の子はまた背中から一枚の楽譜を出しました。「ふう、へんな曲だなあ。よし、弾くぞ。」ゴーシュが弾き始めると、狸の子は棒を持って、セロの駒の下のところを拍子をとって叩きました。それがなかなかうまいので、ゴーシュはこれは面白いぞ、と思いました。

　おしまいまで弾いてしまうと、狸の子はしばらく首をかしげて考えました。それからやっと考えついたというふうに言いました。「ゴーシュさんはこの二番目の糸を引くときは奇妙に遅れるねえ。なんだかぼくが、つまずくようになるよ。」ゴーシュははっとしました。「そうかも知れない。このセロは悪いんだよ。」「どこが悪いんだろうなあ。ではもう一ぺん弾いてくれますか。」「いいとも弾くよ。」そしておしまいまで来ると「あ、夜が明けたぞ。」狸の子はたいへん慌てて、おじぎをすると出ていってしまいました。

　次の晩も、扉を叩くものがありました。ゴーシュが「おはいり。」と言うと、入ってきたのは一匹の野ねずみでした。たいへん小さな子どもを連れてゴーシュの前に来ると、青い栗の実を置いて言いました。「先生、この子が死にそうでございますが治してやってください。」「おれが医者なんかやれるもんか。」ゴーシュは少しむっとしますが、野ねずみは思い切ったように言いました。「先生は毎日、あんなに上手にみんなの病気を治しておいでになるではありませんか。」「何だと。」「はい、ここらのものは病気になると先生のおうちの床下に入って治すのでございます。血のめぐりがよくなって、たいへんいい気持ちで、すぐ治る方もあれば、うちに帰ってから治る方もいます。」

「よしわかったよ。やってやろう。」ゴーシュはちょっとギウギウと糸を合わせると、子ねずみをセロの穴からなかへ落とし、何とかラプソディというものを、ごうごうがあがあ弾きました。子ねずみはセロから出てくると、すっかり目をつぶってぶるぶるぶる震えていましたが、にわかに走りだしました。母ねずみは、「ああ、よくなったんだ。」と喜び、「ありがとうございます。ありがとうございます。」と十回ばかり言いました。

　ゴーシュは何だかかわいそうになって、「お前たちはパンは食べるのか。」とききました。すると野ねずみはびっくりして、「おパンというものはおいしいものなそうでございますが、私どもはおうちの戸棚になど参ったこともございません。」「そのことじゃないんだ。食べるのかときいたんだ。では食べるんだな。」ゴーシュはパンを一つまみむしると、「その腹の悪い子どもにやるからな。」と言って床に置きました。

それから六日目の晩でした。金星音楽団の人たちは町の公会堂にいました。ホールでは拍手が鳴っています。首尾(しゅび)よく第六交響曲を仕上げたのです。アンコールに、楽長はゴーシュを指名し、ゴーシュは舞台に出ると、いつか猫が来たときのように、まるで怒った象のような勢いで、「印度の虎狩」を弾きました。聴衆はしいんとなって、一生懸命に聞いています。弾き終わると、楽長は立ち上がって「ゴーシュ君、よかったぞお。一週間か十日の間にずいぶん仕上げたな。」仲間もみんな立ってきて「よかったぜ。」と言いました。「いや、体が丈夫だからこんなこともできるよ。」楽長が向こうで言いました。

その晩遅く、うちに帰るとゴーシュはまた水をがぶがぶ飲みました。それから窓を開け、いつかかっこうの飛んでいった空を眺めながら、「ああかっこう。あのときはすまなかったなあ。おれは怒ったんじゃなかったんだ。」と言いました。

羅須地人(らすちじん)協会の活動を始めた賢治は、大正15（1926）年の12月2日から、25日の改元をはさんで昭和元年の12月30日まで、エスペラントやオルガンを学ぶために東京に赴(おもむ)きます。12

月15日には資金が足りなくなったらしく、父に助けを求める手紙を書いています。そのなかには、「音楽まで余計な苦労をするとお考へでありませうがこれが文学殊（こと）に詩や童話劇の詞の根底になるものでありまして、どうしても要（い）るのであります」と、音楽への熱意が語られています。この手紙で、賢治が父に用立てを依頼している金額が「二百円」と、じつに高額でした。

賢治はオルガンのレッスンを新交響楽団で受けており、そのうち3日間は、同楽団のトロンボーン奏者でチェロも弾いた大津三郎（おおつさぶろう）に、チェロの手ほどきを受けています。まったくの初心者が3日でチェロを学びたいとは無茶な話です。大津が理由を尋（たず）ねると、賢治は「エスペラントの詩を書きたいので、朗誦伴奏（ろうしょうばんそう）にと思ってオルガンを自習しましたが、どうもオルガンよりセロのほうがよいように思いますので……」と語ったそうです。

賢治の言う「朗誦伴奏」とは、朗読に即興で伴奏を添えることでした。オルガンやピアノは鍵盤楽器で、ドからドの1オクターブの音を8つの白鍵（はっけん）と5つの黒鍵（こっけん）で分割します。しかしチェロなどの弦楽器は、音を分けることなく音の上がり下がりを連続して表現できます。また低音のチェロはひとの声に似て、ひとの声を邪魔しない。賢治はそう考えたのでしょう。

賢治は、言葉の音韻（おんいん）をたいせつにしていました。ふつうに話す言葉にも、抑揚（よくよう）がありリズムがあって、それらはすべて、音楽にのせれば歌になるのです。抑揚のある方言をふんだんに使ったのも、そのためでしょう。賢治の母、イチの録音された声を聴く機会がありましたが、方言で語るその声は、まさに歌うようでした。

韻やリズムにこだわった文章を、音楽にのせて読んでゆく。賢治の考えていたことは、若者たちに人気の「ラップ」によく似ています。朗誦伴奏という活動を本格的にしていたら、賢治は日本ではじめてのラッパーになっていたかも知れません。賢治のセンスはとても新しいのです。賢治が夢中になって聴いていたベートーベンなどの音楽も、今でこそクラシックですが、当時は最先端のハイカラなものでした。

ちなみに賢治のチェロは東京の鈴木バイオリン製で、当時「百七十円」もした高級品だったそうです。賢治がいつ、どのようにしてチェロを入手したかは諸説ありますが、父に頼んだ二百円とチェロの値段が符合すること、オルガンよりチェロが朗誦伴奏に向いていると気づいたタイミングから、大正15年の上京のときに購入した可能性は高いでしょう。

賢治はのちに、友人の音楽教師、藤原嘉藤治（ふじわらかとうじ）が演奏会に出るにあたり、嘉藤治とチェロを交換します。嘉藤治のチェロは中古だったようですが、初心者の賢治にはじゅうぶんだったでしょう。賢治の死後、太平洋戦争で花巻が空襲を受けたとき、賢治の家も被害を受けましたが、チェロは嘉藤治のもとにあったため焼失を免（まぬが）れました。

「セロ弾きのゴーシュ」は、昭和6（1931）年、賢治がとうとう病に倒れるころまで推敲（すいこう）が続けられます。ゴーシュを訪ねてきた「くゎくこう」が、「ぼくらならどんな意気地ないやつでものどから血が出るまでは叫ぶんですよ」と言うように、賢治は病のなかで、このおはなしを書き続けました。生きものと対話し学ぶゴーシュもまた、賢治の分身です。

虔十公園林

虔十は、いつも縄の帯をしめて笑って森や畑の間をゆっくり歩いているのでした。雨の中の青い藪を見ては喜んで目をパチパチさせ、青空を翔ける鷹を見つけては跳ね上がって手を叩いてみんなに知らせました。けれども子どもらが馬鹿にして笑うので、虔十はだんだん笑わないふりをするようになりました。風がどうと吹いてぶなの葉がチラチラ光るときなどは虔十はもう嬉しくて嬉しくて、ひとりでに笑えて仕方がないのを、無理やり大きく口を開き、はあはあと息だけついてごまかしました。

虔十の家の後ろに、大きな運動場くらいの野原が、畑にならないで残っていました。ある年の春早く、虔十はいきなり家の人たちに言いました。「お母、おらさ杉苗七百本、買ってけろ。」「杉苗七百ど、どこさ植ぇらぃ。」「家の後ろの野原さ。」虔十の兄さんが、「あそごは杉植えでも育たないところだ。」と言いましたが、お父さんは「買ってやれ、買ってやれ。虔十ぁ今まで何一つだって頼んだごとないがったもの。」と言いました。

次の日、虔十は杉苗を植える穴を掘り始めました。野原の北の境から、実にまっすぐに実に間隔正しく掘ったのでした。兄さんが、そこへ一本ずつ苗を植えていきました。そのとき、野原の北側に畑を持っている平二がやって来ました。「やい。虔十、ここさ杉植えるなんてやっぱり馬鹿だな。だいいち、おらの畑ぁ日影にならな。」虔十は顔を赤くして、何か言いたそうにしましたが、言えずにもじもじしました。虔十の兄さんが、「平二さん、おはようがす。」と言って立ち上がりましたので、平二はぶつぶつ言いながら向こうに行ってしまいました。

その野原に杉を植えることを笑ったのは、平二だけではありませんでした。あんなところに杉など育つものではない、底は堅い粘土なんだ、やっぱり馬鹿は馬鹿だと、みんなが言っていました。それはまったくその通りでした。杉は五年までは緑色の芯がまっすぐに空の方へ伸びましたが、それからはだんだん頭が丸くなって、七年目も八年目も丈が九尺ぐらいでした。

ある朝、虔十が林の前に立っていますと、一人の百姓が冗談に言いました。「あの杉は枝打ちしないのか。」「枝打ちていうのは何だい。」「枝打ちというのは、下の方の枝を山刀で落とすのさ。」「おらも枝打ちするべかな。」虔十は、さっそく山刀を持ってくると、片っ端から杉の下枝を払いました。夕方になったときには、どの木も上の方の枝をただ三、四本ずつ残して、あとはすっかり払い落されていました。

小さな林は明るくがらんとなり、一ぺんにあんまりがらんとなったので、虔十は胸が痛いように思いました。畑から帰った兄さんが、林を見て思わず笑いましたが、「おう、枝集めるべ。いい焚き物ができた。林も立派になったな。」と言いましたので、虔十もやっと安心しました。

次の日、虔十が納屋で虫食い大豆を拾っていますと、林の方で大騒ぎが聞こえました。号令をかける声、ラッパのまね、足踏みの音、そこら中の鳥も飛び上がるような、どっと起こる笑い声。虔十が行ってみると、学校帰りの子どもらが五十人も集まって、列になって杉の木の間を行進していたのでした。

杉の列は、どこを通っても並木道のようでした。それに青い服を着たような杉の木の方も、列を組んで歩いているように見えるのですから、子どもらの喜びようと言ったらありません。みんな顔をまっ赤にして、百舌のように叫んで歩いているのでした。その杉の列には、東京街道、ロシヤ街道、西洋街道というように、名前がついていきました。虔十も喜び、杉のこっちに隠れながら、口を大きく開いてはあはあ笑いました。

それからは、毎日子どもらが集まりました。ただ雨の日には子どもらは来ず、虔十は雨の降るなかで、体じゅうずぶ濡れになって林の外に立っていました。「虔十さん。今日も林の立ち番だなす。」蓑を着て通りかかる人が笑って言いました。杉には鳶色の実がなり、枝先からはすきとおった雨の雫がポタリポタリと垂れました。

ところが、ある霧の深い朝でした。平二は虔十と会うと、まわりをよく見まわしてから、まるで狼のような顔をしてどなりました。「虔十、杉伐れ。」「何してな。」「おらの畑が日影になるな。」虔十は黙って下を向きました。杉の影は平二の畑に、たかで五寸も入っていなかったのです。おまけに杉は、南から来る強い風を防いでいました。

「伐れ、伐れ。伐らないが。」「伐らない。」虔十が顔を上げて、少し恐そうに言いました。実にこれが、虔十の一生の間の、たった一つの人に対する逆らいの言葉だったのです。平二は、馬鹿にされたと思って怒り、虔十の頰をなぐりました。

さて虔十は、その秋チブスに罹って死にました。平二もその十日ばかり前に、同じ病気で死んでしまいました。

次の年、その村には鉄道が通り、虔十の家の東に停車場ができました。あちこちに瀬戸物の工場や製糸場ができ、畑や田は潰れて家が建ちました。いつかすっかり町になってしまったのです。その中に虔十の林だけは、そのまま残っておりました。子どもらも毎日集まりました。すぐ近くに学校が建ったので、子どもたちは杉林とその南側の芝原とを、いよいよ自分らの運動場の続きと思ってしまいました。

虔十が死んでから、二十年近くになっていました。ある日、アメリカの大学教授になった若い博士が、十五年ぶりで故郷に帰ってきました。どこに昔の面影があったでしょう。町の人たちも、たいていは新しく外から来た人でした。博士は小学校から頼まれ、講堂でアメリカの話をしました。話のあと、校長たちと運動場に出た博士は、虔十の杉林を見ると、驚いて何度も眼鏡を直していましたが、とうとうひとり言のように言いました。

「ああ、ここはすっかりもとの通りだ。木まですっかりもとの通りだ。木はかえって小さくなったようだ。みんなも遊んでいる。ああ、あの中に私や私の昔の友だちがいないだろうか。」博士は校長に尋ねました。「ここは今は学校の運動場ですか。」「いいえ、ここは向こうの家の土地なのですが、家の人たちが子どもたちの集まるままにしておくので、まるで学校の付属の運動場のようになってしまいました。」「それは不思議な方ですね。」「ここが町になってから、みんなで売れ売れと申したそうですが、年寄りの方が、ここは虔十のただ一つの形見だから、いくら困ってもなくすることはできないと答えるそうです。」

「ああそうそう、その虔十という人は、少し足りないと私らは思っていたのです。いつでもはあはあ笑っている人でした。ああ、全く誰が賢く誰が賢くないかは分かりません。ただ十力の作用は不思議です。ここはもう、子どもたちの美しい公園地です。」博士の提案で、杉林は虔十公園林と名をつけられ、林の前の芝生のまん中には、その名を刻んだ立派な青い橄欖岩の碑が建ちました。昔のその学校の生徒、今はもう立派な検事になったり将校になったりしている人たちから、たくさんの手紙やお金が学校に集まりました。

全く全くこの公園林の杉の黒い立派な緑、さわやかな匂い、夏のすずしい陰、月光色の芝生が、これから何千人の人たちに本当の幸いが何だかを教えるか数えられませんでした。

盛岡高等農林学校を卒業して研究生になったものの、肋膜炎になり、やむなく実家の店番生活に戻った大正8（1919）年、23歳になる賢治は親友の保阪嘉内への書簡のなかで、「私の父はちかごろ毎日申します」と前置きをしたうえで、次のように書いています。

「農林の学校を出ながら何のざまだ。何か考へろ。みんなのためになれ。錦絵なんかを折角ひねくりまはすとは不届千万。アメリカへ行かうのと考へるとは不見識の骨頂。」

賢治が浮世絵や春画のコレクターだったことは有名です。そしてどうやら、渡米の希望を持っていました。盛岡高等農林を卒業したのち、海外で研究を続けたり働いたりするのは珍しいことではなく、賢治の周囲では、ともに『アザリア』を創刊した4人のうちのひとり、小菅健吉が渡米しています。

小菅の目的は、土壌微生物を学ぶためでした。そして小菅は、大正15（1926）年の秋に帰ると、盛岡高等農林を訪れて帰国報告をし、その足で花巻の賢治のもとに向かっています。このおはなしに登場する「アメリカ帰りの博士」とは、小菅をモデルにしているのでしょう。賢治と小菅の親しさは、保阪のようには語られませんが、アザリア時代、賢治は健吉、健吉は賢治と、筆名を交換したりするほど意気投合していました。

「虔十」は、その音韻からして、賢治自身がモデルであると判断してよいでしょう。「みんなのためになれ」と言われて育ちながら、なかなか親の言うようには生きられない自分を、賢治は虔十に重ねています。ちなみに、このおはなしの終わり近くにある「今はもう立派な検事になった」という一節は、声に出して読むと「今はもう立派な賢治になった」との意味を含んでいるように思えます。

虔十が「ぶな」を見て喜んでいながら「杉」を植えたところにも、ひとの役に立つかどうか、という価値観が関わっています。ブナは木材としての利用価値が低いとされ、伐採されてスギの植林地とされてきた歴史があります。しかし、いまでは原生的な自然植生としてその貴重さが認められ、青森・秋田県境に広がる白神山地は、１９９３年、奈良の法隆寺や兵庫の姫路城、鹿児島の屋久島とともに、日本ではじめてユネスコの世界遺産に登録されました。

賢治はそれを予言するかのようにブナの美しさを讃えています。そのうえで、当時としては経済的な価値の高いスギを植えているのです。ところが虔十の植えた林は、大きくは育ちません。賢治はこれでもかと、ひとの役には立てない現実をたたみかけてきます。

いっぽう、スギの人工林は手入れが足りないと日の光が入らず、鬱蒼としてしまいます。そうなると、スギは健やかに育たず、根の張りも弱くなって、災害の危険が生じます。むろん、生きものの数も少なくなります。その点、虔十の植えた木々はもともと大きくないうえ、枝打ちもじゅうぶん過ぎるほど施しましたから、お日さまの光がたっぷりと入り、その林床には草が茂り生きものが集って、子どもたちが遊びました。

どんなに価値がないように見えても、まったく無価値な存在などありません。虔十の林が子どもたちの公園地になったように、いまや賢治の残したおはなしや心象スケッチは、たくさんのひとに読まれ、読むひとの人生を支えているといっても過言ではありません。どうかみんなが、自分の価値や、まわりのあらゆるものの価値に気づきますように。それは、さまざまな賢治のおはなしにこめられた、たいせつな願いです。

十力の金剛石

昔、ある霧の深い朝でした。王子はみんながちょっといなくなった隙に、自分の部屋から飛び出しました。蜂雀のついた大きな青い帽子をかぶり、どんどん駆けました。「王子さま。王子さま。」年寄りのけらいが、部屋の中で叫んでいるようでした。

大臣の家のくるみの木の下に、一人の子どもの影が立っていました。王子は声をかけました。「おはよう。遊びに来たよ。」その影はびっくりしたように動いて、走ってきました。それは王子と同じ歳の大臣の子でした。「王子さま、おはようございます。」「何してたの。」「お日さまを見ておりました。」「うん。お日さまは霧がかかると、銀の鏡のようだね。」「はい、また、大きな蛋白石の盤のようでございます。」

王子は大臣の子に尋ねました。「ぼくの持ってるルビーの壺やなんかより、もっといい宝石は、どっちへ行ったらあるだろうね。」「虹の脚もとにルビーの絵の具皿があるそうです。」「おい、とりに行こうか。」「いますぐでございますか。」「うん。しかしルビーよりは金剛石の方がいいよ。」そのとき後ろの霧の中から、王子を探す年老いたけらいの声が聞こえてきて、二人は急いで森の方へ走っていきました。

大臣の子は、小さな木の下を通るとき、その大きな青い帽子を落とし、慌てて拾いました。みんなの声が聞こえなくなり、野原はだんだん上りになりました。いつか霧がすうっと薄くなって、お日さまの光が黄金色にすきとおってきました。ふと気がつくと、遠くの白樺の木のこちらから、目も覚めるような虹が立っていました。「そら虹だ。早く行ってルビーの皿をとろう。」

二人はまた走りだしました。

けれども近づくと、虹は逃げるのでした。そして二人が白樺の木の前まで来たときには、虹はもうまっ黒な森の向こうに高く大きくかかっていました。「行ってみよう。」二人は柏の森まで来ました。森の中はまっ暗でしたが、王子はずんずん入って行きました。小藪の傍を通るとき、さるといばらが緑色の鉤を出して王子の着物をつかみ離れませんでした。王子は面倒になり、剣を抜いて小藪をばらんと切ってしまいました。

また霧が出て、林のなかは白くなりました。もう来た方がどっちかも分かりません。すると小さなきれいな声で、誰か歌いだしたものがあります。

「ポッシャリ、ポッシャリ、ツイツイ、トン。林の中に降る霧は、蟻のお手玉、三角帽子の一寸法師の小さなけまり。」霧がポシャポシャ降ってきました。「誰だろう。」声はだんだん高くなりました。「ポッシャリ、ポッシャリ、ツイツイツイ。林の中に降る霧の、粒はだんだん大きくなり、今は雫がポタリ。」霧がツイツイツイツイ降ってきて、木からは雫の落ちる音が聞こえてきました。

王子の服は草の実でいっぱいでした。王子がにわかに叫びました。「誰だ、歌ったものは、ここへ出ろ。」すると王子たちの青い大きな帽子についていた蜂雀が、ブルルルッと飛んで二人の前に降りました。「ここからは私どもの歌ったり飛んだりできるところになっているのでございます。ご案内いたしましょう。」王子たちは蜂雀のあとをついて行きました。

あたりが明るくなりました。雨が急に大粒になってざあざあと降り、蜂雀は魚のように濡（ぬ）れて光りながら、「ザッ、ザ、ザ、ザザァザ、ザザァ、ふらばふれふれ、ひでりあめ、トパァス、サファイア、ダイアモンド。」と歌いました。雨はあられに変わり、二人はまわりを森に囲まれたきれいな草の丘（おか）の頂上に立っていました。

驚いたことに、あられと思ったのはダイアモンドやトパァスやサファイアで、その宝石の雨は、草に落ちてカチンカチンと鳴りました。鳴るはずです。りんどうの花は天河石（アマゾンストン）、葉は硅孔雀石（クリソコラ）でできていました。黄色い草穂（くさぼ）は猫睛石（キャッツアイ）、うめばちそうの花びらは蛋白石。そして小さな野ばらの木の枝は、茶色の琥珀（こはく）や紫（むらさき）がかった霰石（アラゴナイト）で磨（みが）かれ、その実はまっ赤なルビーでした。蜂雀が、「ザッザザ、ザザァザ、ザザアザザザア、やまばやめやめ、ひでりあめ、そらはみがいた　土耳古玉（トルコだま）。」と歌うと、雨がぴたりと止みました。

風が来て、りんどうの花に盛られたトパァスの粒をこぼすと、花はギギンと鳴って起き上がり、歌いました。「トッパァスのつゆはツァランツァリルリン、こぼれてきらめく、サング、サンガリン、ひかりの丘にすみながらなぁにがこんなにかなしかろ。」ダイアモンドの露をひと粒つけて震えていたうめばちそうも、風でその露を落とし、野ばらの木は、赤い実から水晶の雫をこぼしました。草も花もみんな、体を揺すったり屈（かが）めたりして宝石の露を払い、声を揃（そろ）えて叫んだのです。

「十力（じゅうりき）の金剛石は今日も来ず、めぐみの宝石（いし）は今日も降らず、十力の宝石の落ちざれば、光の

丘も　まっくろの夜。」

王子が「十力の金剛石って、どんなものだ。」と尋ねると、野ばらが答えました。「十力の金剛石は、ただの金剛石のようにチカチカうるさく光りはしません。」すずらんが向こうから言いました。「十力の金剛石は、きらめくときも、かすかに濁(にご)るときも、ほのかに薄光(うすびか)りする日もあります。あるときは洞穴(ほらあな)のようにまっ暗です。」りんどうは、「その十力の金剛石は、春の風より柔(やわ)らかく、あるときは円(まる)くあるときは卵型です。霧より小さな粒にもなれば、空と土とを埋(うず)めもします。」と言い、うめばちそうが「それはたちまち百千の粒にも分かれ、また集まって一つにもなります。」と言いました。

そしてみんなが「十力の金剛石は今日も来ない。その十力の金剛石はまだ降らない。おお、あめつちを充(み)てる十力のめぐみわれらに下れ。」と叫ぶと、にわかに蜂雀がキイーンと鋭い叫びをあげ、二人の青い帽子に下りてきました。その蜂雀のあとを追って、二粒の宝石が二人の帽子に下りてきて、それから花の間に落ちました。「来た来た。ああ、とうとう来た。」と、花が叫びました。木や草も花も青空も、一度に高く歌いました。

「ほろびのほのほ湧きいでて　つちとひととを　つゝめども　こはやすらけきくににして　ひかりのひとらみちみてり　ひかりにみてるあめつちは……。」

急に声が、どこか別の世界に行ったらしく聞こえなくなってしまいました。そしていつか、すべての花も葉も茎(くき)も、みな目覚めるばかり立派に変わっていました。すずらんの葉は、今はほんとうの柔らかな薄光りする緑色の草で、うめばちそうは、素直なほんとうの花びらを持っていました。その十力の金剛石こそは露でした。いえ、青い空、輝く太陽、丘を駆けていく風、花のその芳しい花びらや蕊、草のしなやかな体、これをのせる丘や野原、王子たちのびろうどの上着や涙にかがやく瞳、すべてすべて十力の金剛石でした。あの十力の大宝珠でした。あの十力とは誰でしょうか。私はやっと、その名を聞いただけです。

さて、この光の底のしずかな林の向こうから、二人を探すけらいの声が聞こえてきました。「こちらにお出ででございますか。」けらいたちが喜んで笑ってこっちへ走って参りました。王子も叫んで走ろうとしましたが、一本のさるとりいばらがにわかに少しの青い鉤を出して王子の足に引っかけました。王子は屈んで静かにそれをはずしました。

ダイアモンドやトパァス、サファイヤの雨、天河石のりんどう、猫睛石の草穂、まっ赤なルビーの野ばらの実……。まったくこのおはなしは、石コ賢さんの面目躍如です。どうか、ひとつひとつ鉱物の色合いを味わいながら読んでいただきたいと思います。

美しい宝石は、しかし、賢治にとっては挫折の象徴でもありました。じつは賢治は、東京で「人造宝石」を作り、それを売って生きていきたいと願ったことがあったのです。きっかけは、日本女子大学に通っていた妹のトシが発熱し、大正７（１９１８）年の12月20日、東京帝国大学医学部付属病院小石川分院に入院したことでした。盛岡高等農林学校の研究生を辞めていた22歳の賢治は、母イチとともに、26日から翌年３月３日まで、雑司ヶ谷の雲台館に宿をとり、トシの看病に当たりました。

その年は、インフルエンザが世界的に大流行し、パンデミックを起こした年です。トシの病もインフルエンザでしたが、一進一退しながらも回復に向かいました。すると、看病という堂々たる理由で東京を見聞していた賢治は、実家へ戻るのが疎ましくなったのでしょう。明けて大正８年の１月27日、とうとう父政次郎あての書簡に、「何卒私をこの儘当地に於て職業に従事する様御許可願い度」と記しました。

賢治は毎日、切々と訴えます。曰く、「目的とする仕事は宝石の人造」で、実用に適するのはルビー、サファイヤのみだが、そのほかの石についても結晶を得るのは不可能ではない。よって「之を研究実験し営利的にも製造する」。合成が軌道に乗るまでは宝石の研磨をし、ネクタイピンやカフスボタン、指輪などを販売する。また「黄水晶を黒水晶より造る。瑪瑙に縞を入れる。真珠の光りを失へるを発せしむ、下等琥珀を良品に変ず」など、宝石の改造も行う。仕事は工場ではなく、実験室があれば足りる。もっとも賢治は花巻の自室でも実験をして、ガスを発生させたことがあるらしく、書簡はいまひとつ説得力に欠けます。

政次郎は賢治の計画を認めません。賢治は2月5日、「私に自由に働く事を御許し下され候や」と懇願しますが、翌月にはあえなく帰宅命令を受けます。

自由になりたい。このおはなしが書かれたのは「法華文学の創作」を志した大正10（1921）年ごろとされますが、王さまの城から走って逃げた王子は、やはり賢治の分身でしょう。

「十力」とは「仏の不思議な力」を指すそうです。そして賢治は、「十力の金剛石」として、いちばんに「露」を挙げます。露は水、水は大気を循環し、あらゆるいのちを輝かします。野原いちめんに露が降った朝、お日さまの光に煌めきながら消えてゆく無数の水滴を目の当たりにすれば、その儚くも力強い美しさが、「たゞの金剛石」すなわちダイヤとは比ぶべきもないと分かるでしょう。

人造宝石の夢は潰えましたが、鉱物をはじめとする科学の知識は、賢治の心象スケッチやおはなしを、ほかの誰にも書けないものにしました。詩人の草野心平から『銅鑼』の同人に誘われたとき、賢治は「私は詩人としては自信がありませんが、一個のサイエンティストとしては認めていただきたいと思います」と返信したそうです。賢治のこころのなかは、「科学」と「宗教」というふたつの要素が反応し合う、まさに実験室のようなものだったのかも知れません。

その作品こそは、賢治のこしらえた宝石です。幼いころからずっと好きであり続けたものは、ひとのこころを輝かします。

ひかりの素足

一郎は鳥の声で目を覚ましました。「起ぎろ、楢夫(ならお)。」楢夫は目を開くと、「ほ、山さ来てらたもな。」とつぶやきました。兄弟はお父さんの山小屋に来ているのです。

二人は外に出て、水で顔を洗いましたが、楢夫は冷たくてやめました。その手は霜(しも)やけで赤くふくれています。一郎は、楢夫の手を両手で包んで暖めました。楢夫は怖い夢を見たらしく泣き、お父さんが「何(な)っても怖(お)っかないごとぁ無いぢゃぃ。」と言いました。

昼すぎ、二人は馬を引いて炭を運びに来た人のあとについて、峠の向こうの家に戻ることになりました。あしたは月曜日で、二人とも学校に出なくてはなりません。ところがしばらく歩くと、馬を引いた人は、向こうからやって来た人と立ち話を始めました。待ちくたびれて、兄弟は少しずつ歩きだしました。楢夫は、早く帰りたいらしくどんどん歩き始めました。

小さな乾いた雪の粉が落ちてきました。「楢夫、早ぐ登れ、雪降ってきた。」一郎が心配そうに言いました。楢夫はその声を聞いて、せかせかと登りました。けれども雪は酷(ひど)くなって、来た方も行く方もまるで見えず、二人の体もまっ白になりました。楢夫が泣いて一郎にしがみつきました。「戻るが、楢夫。」一郎は来た方を見ましたが、もう戻ろうとは思えませんでした。来た方は、灰色に暗く見えたのです。「もう一足(ひとあし)だ。」一郎は楢夫の顔をのぞき込んで言いました。楢夫は涙をふいて笑いました。楢夫の頬(ほお)に雪のかけらが白くつき、すぐ溶(と)けてなくなったのを、一郎は胸に迫るように思いました。

雪がどんどん落ちてきます。風が激しくなりました。「道間違った。戻らなぃばわがなぃ。」

一郎が言って、楢夫は泣きました。「泣ぐな。」一郎は楢夫を抱いて岩の下に立ちました。風が吹いて息もつけず二人は雪をかぶりました。一郎はもう、二人とも死んでしまうのだと思いました。いろいろなことが回り燈籠のように見えました。正月、親戚の家でみかんを食べたとき、楢夫がすばやく一つ食べてもう一つを取ったので、一郎はひどく目で叱ったのでした。そのときの楢夫の霜やけの小さな赤い手が、はっきりと浮かびました。一郎は雪の中に座り、いっそう強く楢夫を抱きしめました。

けれどもそんなことは、まるで夢のようでした。いつか一郎はひとりで歩いていました。そこは黄色にぼやけて夜か昼か夕方かもわかりません。体には鼠色の布が巻きついて、はだしの足は傷がついて血が流れていました。「楢夫は。」一郎は思い出しました。「楢夫ぉ。」「兄な。」かすかな声が遠くから聞こえ、一郎はそっちへかけました。そして一人の子どもが、光ったり消えたりしているのを見ました。それが楢夫でした。

「死んだんだ。」と言って楢夫は激しく泣きました。その足もはだしで、傷がついています。「あすこの明るいところまで行って見よう。」一郎は楢夫を肩にかけ、あらんかぎりの力を出して走りました。いつか一郎は、うす明るいところに来ていました。

すぐ目の前は窪地で、その中を痛ましいなりをした子どもらが追われていました。恐ろしいことには、まっ赤な顔をした大きな人のかたちのものが、ただれた赤い目をして太い鞭を振り、子どもらの間を歩いているのでした。にわかに楢夫が「お父さん。」と叫んで泣きました。するとその恐ろしいものは赤い目をこっちに向けました。「そこらで何をしているんだ。下りて来い。」そしていつか一郎と楢夫とは、つかまれて列の中に入っていたのです。楢夫がつまづいて倒れると、その小さな体を切るように鬼の鞭が落ちました。

前の方の子どもらが激しく泣いて列が止まりました。鞭の音や鬼の怒り声が雷のように鳴りました。野原のその辺りは小さな瑪瑙のかけらでできていて、行くものの足を切るのでした。一郎のまわりからも叫び声が起こり、楢夫が一郎にすがりついて泣きました。「歩け。」鬼が叫び、楢夫を抱いた一郎の腕を鞭が打ちました。「楢夫は許して下さい。楢夫は許して下さい。」一郎は両腕であらんかぎり楢夫をかばいました。

かばいながら一郎は、「にょらいじゅりゃうぼん第十六。」という言葉を、かすかに風のように匂いのように感じました。すると何だかほっと楽になったように思って、

「にょらいじゅりゃうぼん。」

とつぶやいてみました。鬼が立ちどまって不思議そうに一郎を見ました。列も、鞭の音も叫びも止みました。気がついて見ると、その赤い瑪瑙の野原の外れがぼうっと黄金色になって、その中を立派な大きな人がまっすぐにこっちへ歩いてくるのでした。

その人の足は白く光って見えました。実にはやく実にまっすぐに、こっちへ歩いてきます。それは、貝殻のように白く光る大きなすあしでした。「怖いことはないぞ。」かすかに笑いながら、その人は言いました。大きな瞳は青く蓮の花びらのように凛としています。みんなは一度

に手を合わせました。
「お前たちの罪は、この世界を包む大きな徳の力にくらべれば太陽の光とあざみの棘(とげ)の先の小さな露(つゆ)のようなもんだ。」みんなはその人のまわりに環(わ)になっておりました。鬼どもも素直に大きな手を合わせ、みんなの後ろに立っていました。その人はまっ白な手で楢夫の頭を撫(な)でました。その手はかすかにほおの花の匂いがしました。一人の鬼が泣いてその人の前にひざまづき、その光る足を手でいただきました。

　大きな黄金色の光が円(まる)い輪になって、その人の頭のまわりにかかりました。「ここは地面が剣でできている。お前たちはそれで足や体を破る。そうお前たちは思っている。けれどもこの地面はまるっきり平らなのだ。さあご覧(らん)。」その人はまっ白な手で地面に一つ輪をかきました。すると赤い瑪瑙でできていた地面が、波一つないまっ青(さお)な湖水に変わり、その上にたくさんの木や建物が浮かんでいました。建物は青や白に光る屋根を持ち、虹のような幡(はた)が垂(た)れています。また木は宝石細工としか思えません。空からはいろいろな楽器の音が、さまざまな色の光の粉とともに降っています。

　もっと驚いたことは、立派な人たちのいっぱいなことでした。ある人は鳥のように空中を翔(か)けていました。そして一郎は、自分たちもその湖水の上に立っていることに気がつきました。けれどもそれは水ではなく、実に青い宝石の地面でした。さっきの人は、いつしか立派な瓔珞(ようらく)をかけて、かすかに笑ってみんなの後ろに立っていました。

野原で一緒だった人たちも立派に変わり、楢夫もまた黄金色のきものを着て、瓔珞を着けていました。一人の子が言いました。「ここはまるでいいんだなあ、向こうにあるのは博物館かしら。」その巨きな人が答えました。「うむ。博物館もあるぞ。あらゆる世界のできごとがみんな集まっている。」

子どもらはまた、いろいろなことを尋ねました。「ここには図書館もあるの。僕アンデルゼンのおはなしなんかもっと読みたいなあ。」「ここの運動場なら何でもできるなあ。」「僕はチョコレートがほしいなあ。」巨きな人は静かに答えました。「本はいくらでもある。一冊の本の中に小さな本がたくさん入っているようなものもある。運動場もある。チョコレートもある。」「僕たちのお母さんはどっちに居るだろう。」楢夫がにわかに一郎に尋ねました。すると巨きな人がふり向いて言いました。「いまにお前に、前のお母さんを見せてあげよう。お前はここで学校に入る。しばらく兄さんと別れなければならない。兄さんはもう一度お母さんの所へ帰るんだから。」

その人は一郎の頭を撫でました。

「お前はも一度、あのもとの世界に帰るのだ。お前は素直ないい子供だ。よくあの棘の野原で弟を棄てなかった。いまの心持ちを決して離れるな。お前の国にはここから沢山の人たちが行っている。よく探してほんとうの道を習へ。」

すべての景色が、霧の中のように遠くなりました。その霧の向こうに楢夫が光って立ち、何か言いたそうにかすかに笑ってこっちへ手を伸ばしていました。

「楢夫。」と叫んだかと思うと、一郎はまっ白なものを見ました。雪でした。それから青空を見ました。「息吐（つい）だぞ。目開（あ）ぃだぞ。」となりの家の赤ひげの人が、一郎を起こそうとしていました。一郎は楢夫を堅く抱いて、雪に埋まっていたのです。

「弟ぁなぢょだ。弟ぁ。」犬の毛皮を着た猟師が高く叫びました。「弟ぁわがなぃよだ。」一郎は楢夫の顔を見ました。その顔は苹果（りんご）のように赤く、その唇はさっき光の国で別れたときのまま、かすかに笑っていました。けれどもその目は閉じ、その息は絶え、そしてその手や胸は氷のように冷えてしまっていたのです。


大正12（1923）年の7月31日から8月12日、26歳の賢治は生徒の就職依頼のため樺太（からふと）に出張します。前年の11月27日には妹のトシが亡くなっており、賢治はこの旅のあいだ、トシの魂の行方を追い求める心象スケッチを残します。「とし子はみんなが死ぬとなづける／そのやりかたを通つて行き／それからさきどこへ行つたかわからない」とは、そのうちのひとつ「青

森挽歌」の一節です。

「ひかりの素足」は、これらの心象スケッチと同時期に書かれました。一郎に届く「如来寿量品第十六」とは、二十八品から成る「妙法蓮華経」のうちの第十六品で、釈迦は遠い昔に成仏し、以来、常に傍らにいてくださるというものです。

賢治が深く信仰した法華経の根本精神は、誰にも仏になる素質が備わっていて、すべてが平等であることだそうです。わたしは仏教に詳しくありませんが、岩手においてこのおはなしを読むとき、無視できないのは「平泉」の存在だと思います。平泉は、２０１１年、世界遺産に登録されました。登録名称は「仏国土（浄土）を表す建築、庭園及び考古学的遺跡群」です。

賢治の描く「ひかりの国」は異国ふうですが、その原点となる景色を実体験として目にしたのは、平泉を訪れ、中尊寺や毛越寺をはじめとする史跡群を見たときだと考えられます。平泉は１１００年代、東北の蝦夷の血を引く藤原清衡から始まる三代によって築かれました。藤原三代は金色堂をはじめ多くの寺院を建て、自然景観をとり入れた浄土庭園を作り、金字銀字でお経を写すなど、独自の文化を開花させました。

それまで差別されてきた蝦夷を、藤原氏は文化の力で護ろうとしました。それは賢治が晩年「羅須知人協会」を設立し、農村に芸術を取り入れようとした姿勢と重なります。

特筆すべきは、初代清衡が、熱心な法華経信者だったことです。中尊寺に残る「中尊寺建立供養願文」に、清衡は「千部の法華経を千人で読み上げよう、千人で読経すれば、その声は雷のように轟き、天に達するに違いない」という意味の文を記しました。清衡が法華経を精神的な支えとした理由は、その平等の教えによるとされ、供養願文には、「戦乱で命を落とした官軍も蝦夷も、さらには鳥獣魚介も、みな浄土に導かれますように」とも書かれています。

このおはなしのなかの「大きな人」が誰であるかを考えるのは無粋なことかも知れませんが、法華経の教主は「釈迦如来」で、中尊寺の本尊も釈迦如来坐像です。したがって法華経によれば、ここでみんなを救ったのは釈迦如来ということになりましょう。そののち、ひかりの国で釈迦如来と交代し、みんなに優しく語るのは、釈迦如来の脇にいて代わりに働くとされる「文殊菩薩」か「普賢菩薩」と考えられます。如来は装飾品を着けませんが、菩薩は瓔珞を着けます。

そしてふたりの菩薩のうち、ここに登場したのは「普賢菩薩」ではないでしょうか。普賢菩薩は「女人も含めて苦悩から護る」とされ、信ずれば「将来、弥勒菩薩が如来となる兜率天に生まれることができる」として、女性からも人気を得ました。トシの行方を案じている賢治にすれば、女性をも護る普賢菩薩の存在は、大きな救いだったと思われます。

このおはなしは賢治自身により「余りにセンチメンタル」とのメモが残されますが、愛しい者の死に際しその魂を送るというテーマは、亡くなる直前まで推敲されていた「銀河鉄道の夜」に引き継がれます。

銀河鉄道の夜

「ではみなさんは、このぼんやりと白いものがほんとうは何かご承知ですか。」ジョバンニは手をあげようとして、急いでやめました。先生がそれを見つけました。「ジョバンニさん、わかっているのでしょう。」ジョバンニは答えることができません。「ではカムパネルラさん。」カムパネルラは、やっぱり答えません。「では。よし。」先生は自分で星図を指しました。「この白い銀河を大きないい望遠鏡で見ますと、もうたくさんの小さな星に見えるのです。」前にカムパネルラの家で、お父さんの書斎から大きな本を持ってきて、銀河の写真を二人で眺めたことがあったのを思い出し、ジョバンニの目には涙がたまりました。

その晩は銀河の祭りでした。授業が終わると、みんなは川へ流す烏瓜をとりに行く相談をしていましたが、ジョバンニは町の活版所で活字を拾い、銀貨を一つ貰うと、パンとお母さんの牛乳に入れる角砂糖を買って帰りました。裏町の小さな家では、具合の悪いお母さんが寝んでいました。お父さんは、ラッコの上着をお土産に持ってくると言って北の方の漁に出たまま、帰ってきません。牛乳が届いていなかったので、ジョバンニはトマトの皿とパンで食事をすると、牛乳屋に寄りながら、お祭りを見に行くことにしました。

町の時計屋の黒い星座早見盤に、ジョバンニは我を忘れて見入りました。「ケンタウルス、露を降らせ。」子どもらは星めぐりの口笛を吹いたりして遊んでいます。町の角を曲がろうとすると、同級生たちが烏瓜のあかりを持ってやって来ました。ジョバンニを見ると、「ラッコの上着が来るよ。」とザネリが叫びました。みんなも続いて叫びました。その中にカムパネルラもいて、気の毒そうにジョバンニを見ていました。

ジョバンニは寂しくなって、黒い丘の方へと走りました。丘の頂には「天気輪の柱」が立っていて、ジョバンニはその下の冷たい草に体を投げました。天の川を眺めていると、天気輪の柱がいつか三角標の形になり、どこかで「銀河ステーション、銀河ステーション」という不思議な声がしました。目の前がさあっと明るくなり、気がつくと、ごとごとごとごと、ジョバンニの乗っている小さな列車が走り続けていたのでした。

すぐ前の席には、濡れたようなまっ黒な上着を来たカムパネルラも乗っていました。「みんなはね、ずいぶん走ったけど遅れてしまったよ。」その手の中には円い板のような地図があり、天の川の左の岸に沿って一条の鉄道線路が南へと延びていました。

「おっかさんは、僕を許してくださるだろうか。」カムパネルラが言いました。「誰だって、ほんとうにいいことをしたら、いちばん幸いなんだねえ。だからおっかさんは、僕を許してくださると思う。」カムパネルラは、泣きだしたいのをこらえているようでした。

それからジョバンニとカムパネルラは、天の川のなかの島に白い十字架が立っているのを見たり、白鳥の停車場で二十分ほど汽車を降り、プリオシン海岸というところで、百二十万年前の獣を発掘している若い大学士に会ったりしました。

白鳥の停車場を過ぎると、鳥を捕まえる商売をしているという男が乗り込んできて、まるでお菓子のような雁を二人に食べさせたり、ふいに汽車から降りて空から舞い降りてくる鷺を捕まえ、また戻ってきたりしました。

　白鳥区のおしまいまで来たころ、車掌がやってきました。「切符を拝見いたします。」カムパネルラは小さな鼠色の紙切れを出しました。ジョバンニは慌てましたが、上着のポケットにでも入っているかと手を入れてみましたら、四つに折った葉書ぐらいの大きさの緑色の紙が入っていました。そこにはいちめん黒い唐草模様の中に、おかしな十ばかりの文字が印刷されていました。車掌は「これは三次空間の方からお持ちになったのですか。」と尋ね、鳥捕りの男は、「こいつはもう、ほんとうの天上にさえ行ける切符だ。」と感心しました。

　カムパネルラが、地図と三角標とを見比べながら言いました。「もうじき鷲の停車場だよ。」すると鳥捕りの男の姿は、もうどこにも見えなくなり、代わりに現れたのは、がたがた震える六つばかりの男の子と、黒い洋服の背の高い青年、そして十二歳ぐらいの茶色い目をした可愛らしい女の子でした。三人は、氷山にぶつかって沈んだ船に乗っていたのでした。青年が言いました。「もう何にも恐いことはありません。私たちは神さまに召されているのです。」青年は、男の子をジョバンニの、女の子をカムパネルラの隣りに、静かに座らせました。

　列車はだんだん川を離れて崖の上を走り、やがて小さな停車場に停まりました。その正面の時計は静かな野原のなかで、カチッカチッと正しく時を刻んでいました。そして遠くからは、かすかな旋律が糸のように流れてきました。「新世界交響楽だわ。」女の子が言いました。笛が鳴り、列車は再び走りだしました。後ろの方で、誰か老人らしい人の声がしました。「もうこの辺はひどい高原です。」そうそうここはコロラドの高原じゃなかったろうか、ジョバンニは思いました。新世界交響楽は、いよいよはっきりと地平線のはてから湧いています。「この辺から下りです。この傾斜があるもんですから、汽車は決して向こうからこっちには来ないんです。」さっきの老人らしい声が言いました。どんどんどんどん汽車は下りていきました。

　そしてふと見ると、天の川は再び汽車の横を流れていました。その向こう岸の野原に、まっ赤な火が燃えていました。「蠍の火だな。」カムパネルラが地図を見ながら言い、「蠍の火のことなら、あたし知ってるわ。」と、女の子が話し始めました。「蠍って、虫だろう。」「そうよ。だけどいい虫だわ。昔のバルドラの野原に一匹の蠍がいて小さな虫やなんか殺して食べていたんですって。するとある日いたちに見つかって食べられそうになって……。」逃げた蠍は井戸に落ちて溺れながら、「ああ、どうして私は私の体を黙っていたちにくれてやらなかったろう。そしたらいたちも、一日生き延びたろうに。どうか神さま。こんなに虚しくいのちを捨てず、どうかこの次にはまことのみんなの幸いのために私の体をお使いください。」と祈り、いつしかその体は美しい火になって、夜の闇を照らしているのだそうです。

「もうじきサウザンクロスです。降りる支度をしてください。」青年が告げました。男の子が「僕もう少し汽車に乗ってるんだよ。」と言うと、「ここで降りなきゃいけないのです。」青年は、口を結んで言いました。ジョバンニが言いました。「僕たちといっしょに行こう。」「だけどあたしたち降りなくちゃいけないのよ。ここ天上へ行くとこなんだから。」女の子がさびしそうに言いました。

「天上なんか行かなくたっていいじゃないか。」「だっておっかさんも行ってらっしゃるし、それに神さまがおっしゃるんだわ。」「そんな神さまうその神さまだい。」「あなたの神さまうその神さまよ。」「そうじゃないよ。」

　青年が言いました。「あなたの神さまって、どんな神さまですか。」「たった一人のほんとうのほんとうの神さまです。」「わたくしはあなた方が、いまにそのほんとうの神さまの前に、わたくしたちとお会いになることを祈ります。」青年は両手を組みました。別れが惜しく、みんなの顔色は少し青ざめていました。

　天の川のずっと川下に、あらゆる光をちりばめた十字架が立ったのは、そのときでした。十字架の上には、青白い雲（くも）が環（わ）になり、後光（ごこう）のようにかかっています。「ハルレヤ。ハルレヤ。」みんなの声が響き、空では爽（さわ）やかなラッパの音が鳴りました。たくさんのシグナルのなかを、汽車は緩（ゆる）やかに走り、十字架のちょうど真向かいで停まりました。

「じゃ、さよなら。」女の子がふり返って二人に言いました。「さよなら。」ジョバンニは泣きだしたいのをこらえて怒（おこ）ったように言いました。女の子はいかにもつらそうに目を大きくして、も一度こっちをふり返り、あとは黙（だま）って出ていってしまいました。汽車の中は半分以上も空（す）いてしまい、にわかにがらんとして風がいっぱいに吹き込みました。外を見ると、みんなは慎（つつ）ましく列を組み十字架の前の天の川の渚（なぎさ）にひざまずいていました。

ジョバンニは深く息をしました。「また僕たち二人きりになったねえ、どこまでもいっしょに行こう。僕はもうあの蠍のように、みんなの幸いのためならば百ぺん体を焼いても構わない。」「うん、僕だってそうだ。」カムパネルラの目には、きれいな涙が浮かんでいました。

カムパネルラが遠くの野原を指しました。「あすこの野原は何てきれいだろう。あすこがほんとうの天上なんだ。」ジョバンニもそっちを見ましたが、そこはぼんやりと煙っているばかり、カムパネルラが言ったようには思えませんでした。ジョバンニは、何とも言えずさびしい気がして、もう一度「カムパネルラ、僕たちいっしょに行こうねえ。」とふり返りましたら、今までカムパネルラの座っていた席には、ただ黒いびろうどが広がっていました。ジョバンニは窓の外に体を乗り出し、力いっぱい叫び、咽喉いっぱい泣きました。もう、そこらがまっくらになったように思いました。

そしてジョバンニは目を開きました。丘の草の上で、疲れて眠っていたのです。胸は熱り頬には冷たい涙が流れています。ジョバンニは跳ね起き、丘を走って下りました。家で待っているお母さんのことが、胸いっぱいに思い出されたのです。

牛乳を受けとり町へ出ると、女たちが橋の方を見ながら何か話しています。「何かあったんですか。」「子どもが水に落ちたんですよ。」ジョバンニが川原に下りると、さっきカムパネルラといっしょにいたマルソが、走ってきて言いました。「カムパネルラが川に入ったよ。」聞けばカムパネルラは、水へ落ちたザネリを助けようとしたのだそうです。「けれどもそのあと、カムパネルラが見えないんだ。」

川原にはカムパネルラのお父さんもいて、右手に持った時計を見つめていました。「もう駄目(だめ)です。落ちてから四十五分たちましたから。」ジョバンニは思わず、僕はカムパネルラの行った方を知っています、と言おうとしましたが、咽喉がつまって声が出ませんでした。カムパネルラのお父さんは、「あなたのお父さんはもう帰っておられますか。」と、時計を握(にぎ)ったまま尋ねました。「いいえ。」「僕には一昨日(おととい)、たいへん元気な便りがあったんだが。」ジョバンニはもう、いろいろなことで胸がいっぱいで、何も話せませんでした。

早くお母さんに牛乳を届け、お父さんが帰ることを知らせようと思うと、ジョバンニはもう一目散(いちもくさん)に川原を町の方へ走りました。

花巻農学校での水遊びを記した「イギリス海岸」で、「もし溺れる生徒ができたら（中略）死ぬことの向ふ側まで一緒について行ってやらう」と書いた賢治です。ジョバンニもまた、賢

治の分身であろうと思われます。

大畠ヤスとの恋に破れたあと、賢治は心象スケッチ「一本木野」に「わたくしは森やのはらのこひびと」と書き、そのポケットには「みどりいろの通信」が入っていました。そしてジョバンニの上着のポケットに入っていた切符もまた、「緑いろ」をしていました。

カムパネルラのモデルについては、妹のトシをはじめ諸説あります。なかでも有力なのは、親友の保阪嘉内（ほさかかない）でしょう。保阪は大正7（１９１８）年の3月、『アザリア』に書いた文章がもとで盛岡高等農林学校を除籍（じょせき）になりますが、それを知った賢治からの書簡には、ジョバンニがカムパネルラに言う、「きっとみんなのほんたうのさいはひをさがしに行く。どこまでもどこまでも僕たち一緒に進んで行かう」というせりふと同じ意味の文が記されています。

またふたりは、大正10（１９２１）年の7月18日に、激しい宗教論争をしたとされています。賢治はこのおはなしのなかで、たとえ宗教が違っても「ほんたうの神さま」は宇宙の摂理のようなもので、ひとはみな等しく「銀河鉄道」に乗って天上に行くのだと訴えています。保阪とのやりとりは、確かに反映されていると言えるでしょう。

しかし、カムパネルラはジョバンニを残して亡くなっています。保阪が旅立ったのは昭和12（１９３７）年、賢治の死に遅れること4年でした。カムパネルラの死には、賢治が亡くなる年の7月18日、溺（おぼ）れた同僚を助けるために海に飛び込んだ『アザリア』の友人、河本義行（かわもとよしゆき）の最期が重ねられていると考えて間違いないでしょう。

賢治はこのおはなしを、亡くなる直前まで推敲していました。その胸を去来する思い出は多く、誰かひとりをモデルにしてカムパネルラを書いたとは言い切れません。そしておしまい、賢治自身が旅立つカムパネルラの立場になっていました。

賢治は人生で出会った懐かしい人びとを、走馬灯のように登場させています。花巻農学校の教え子である小原忠は亡くなるまで賢治を慕い、眠る前には必ず賢治が作詞をした「精神歌」を歌いました。その理由を尋ねると、「銀河鉄道の夜」に「わたしの大事なタダシはいまどんな歌をうたってゐるだらう」と書かれているから、とおっしゃいました。

天の川を走っているはずの銀河鉄道が、新世界交響楽の流れるアメリカの高原を通るのはなぜでしょう。わたしには、昭和２（１９２７）年の4月13日、シカゴで息を引きとったかつての恋人、ヤスの魂を乗せるためだと思われてなりません。

「みんなのほんたうのさいわひ」を問い続け、争いや貧困のない世のなかを願って、「農民芸術概論綱要」に「世界がぜんたい幸福にならないうちは個人の幸福はあり得ない」と書いた賢治でしたが、その人生の最期に思い至ったのは、たったひとりの愛しいひとを幸せにし、自らも幸せになることのたいせつさだったかも知れません。ひとりひとりが幸せでなければ、みんなの幸せはあり得ません。

どうか目の前のひとをたいせつに、あらゆるいのちを慈しみながら、日々を愛おしんでいけますように。銀河鉄道に乗った賢治は、いまも皆さんの幸せを願っているに違いありません。

あとがき

『注文の多い料理店』の「序」のなかで、賢治はこう記しています。

「なんのことだか、わけのわからないところもあるでせうが、そんなところは、わたくしにもまた、わけがわからないのです。」

　本人も認めるわけの分からなさから、賢治の作品はさまざまに研究されてきました。賢治を研究する立場では、最も信じられている考えを「定説」と呼びます。

　いっぽう賢治は、こうも記しています。

「けれども、わたくしは、これらのちひさなものがたりの幾きれかが、おしまひ、あなたのすきとおつたほんたうのたべものになることを、どんなにねがふかわかりません。」

　読者のこころの食べものになることが、賢治のいちばんの願いだというのです。それには読者それぞれが、作品を自由に解釈できることがたいせつです。少なくとも、作品を文学として味わうときには、定説にこだわる必要はないでしょう。

　この本のなかでわたしが述べた内容にしても、わたしが感じとったことに過ぎません。読者の皆さんにとっては、にわかには腑に落ちないところもあるでしょう。そんなところは、より納得できる答えを、めいめいに探していただければよいのです。

　もしも皆さんが、賢治作品を読み進めるうちに謎にぶつかって、何かしらヒントが欲しいと感じたときに、この本を参考にしていただけたなら幸いです。

賢治作品についての解説本は、ほかにもたくさん出ています。そのなかで、この本の特徴は、筆者であるわたしが、「宮澤賢治は相思相愛の恋をしていた」と考えているところです。

恋する賢治とともに、その作品を読み直して、新たに思うのは、賢治はどうしても「ヤス」という名前を記したかったのだろう、ということです。

たとえば賢治は、大正時代にはまだ珍しかった「ジャズ」に言及(げんきゅう)していますが、その理由は単に音楽好きなだけではないでしょう。ジャズも、また羅須地人(らすちじん)協会の「羅須」も、ヤスと音韻が一致しています。ヤスの名前の漢字表記は分かりませんが、羅須は、賢治自身を表す「修羅」の「羅」と、ヤスの「ス」をあわせた造語のようにも思われます。

流れる時間のなかで消えようとしている自らの恋を、賢治は「音韻」に託したのです。それは、賢治が自作を朗読したいと願い、音楽を学ぼうとしたことと無縁ではないでしょう。賢治はまた、自作の歌にも恋をしのばせました。たとえば「牧歌」。

「種山ヶ原の雲の中(なが)で刈った草は　どごさが置いだが忘れだ　雨ぁふる／種山ヶ原のせ高(だが)の芒(すすぎ)あざみ　刈ってで置ぎわすれで雨ぁふる　雨ぁふる／種山ヶ原の霧の中(なが)で刈った草さ　わすれ草も入(はえ)ったが忘れだ　雨ぁふる／種山ヶ原の置ぎわすれの草のたばは　どごがの長嶺(ながね)でぬれでる　ぬれでる」

これは、花巻農学校で教えていたころ、生徒たちと「種山ヶ原の夜」という戯曲を上演した際の挿入歌です。種山ヶ原は、賢治にとってヤスとの思い出に満ちた場所。刈っておいて置き忘れてしまったのは、「背高のあざみ」です。ヤスは、すらりとした女性でした。『春と修羅』の表紙にも描かれた「あざみ」は、おそらくはヤスの象徴でしょう。

賢治が亡くなったのち、ほどなく岩手日報に掲載された尾形亀之助（おがたかめのすけ）の追悼文「明滅」は、尾形と思しき筆者が、賢治らしき男と汽車で乗り合わせる内容で、「銀河鉄道の夜」へのオマージュでした。「明滅」には、草野心平（くさのしんぺい）が賢治の追悼文集を作るときに、「その二」が加筆されます。その冒頭に、「牧歌」が引用されます。なぜ「牧歌」なのか、尾形の真意が分かるのは、「明滅」から6年後に書かれた「宮沢賢治第六十回生誕祝賀会」においてです。

この奇妙な追悼文のなかで、60歳になっている賢治は、「今夜は妻までもご招待にあづかり」と挨拶をしますが、「宮沢夫人」はいません。筆者は、「宮沢は独身であったのだから妻などといふものがある筈はないわけだ」としつつも、終会後、草野と歩きながら、「こうして二人で歩いてゐればその辺から宮沢夫人がひょっこり出て来て挨拶されるんじあないか」と思います。そして作中の草野は、「宮沢の奥さんは何処にゐるか、雲の中か――は、は、はは、はのはあ／ゐないよ、見えないよ、見えないからゐないよ、馬鹿野郎、何処かの馬鹿野郎――」と歌うのでした。この「雲の中」は、「牧歌」の一行目を受けているのでしょう。賢治の奥さんは「牧歌」に記されているのだ、いるはずなのに見えないのだと、尾形は暗に示しているのです。賢治の恋は、賢治研究の世界に身を置いた草野にとっては、容易には言えないことだったと思われます。ところが尾形は、あくまでも文学の世界で、賢治の恋を草野に語らせていたのです。尾形も、もちろん賢治も、文学や言葉、さらには言葉の持つ音の力を信じていたのでしょう。そこに託された思いは、百年の歳月を経ても、鮮やかに蘇(よみがえ)って読者の胸に迫ります。

賢治はこれまで、ともすると聖人のような扱いを受けてきました。持ち上げる力があれば、引き下げる力も生まれ、賢治の人生は、ほとんどのことが志半ばで終わっている、との指摘もあります。賢治は晩年、病の床でたくさんの文語詩を作りますが、それを妹のクニに読んで聞かせたとき、「なっても駄目でも、これがあるもや」と言ったそうです。その言葉のとおり、賢治は立派に作品を残しました。わたしは賢治を持ち上げも引き下げもせず、ひとりの文学者としてとらえ、その作品から心情を読み解きたいと考えています。

この本を読んだあとは、ぜひ、賢治本人の文章に触れてください。これからの百年も、その先の百年も、賢治の作品が、たくさんの読者に愛され、「ほんたうのたべもの」になるよう願いをこめて、筆を置くことにいたします。

※本書は２００９年にＰＨＰ文庫より出版された「心を育てる名作ガイド　親子で読みたい宮沢賢治」に加筆修正し、書き下ろしを加え、再構成したものです。

主な参考引用図書

＊『文庫版　宮沢賢治全集1～10』宮沢賢治／ちくま文庫（1986年～）
＊『定本　宮澤賢治語彙辞典』原子朗／筑摩書房（2013年）
＊『宮澤賢治イーハトヴ学事典』天沢退二郎　金子務　鈴木貞美・編／弘文堂（2010年）
＊『宮沢賢治の全童話を読む』國文学2月臨時増刊号　第48巻3号　學燈社（2003年2月）
＊『年譜　宮澤賢治伝』堀尾青史／中公文庫（1991年）
＊『兄のトランク』宮沢清六／ちくま文庫（1991年）
＊『宮澤賢治の肖像』森荘已池／津軽書房（1974年）
＊『薄明穹を行く―賢治詩私読―』小沢俊郎／學藝書林（1976年）
＊『宮澤賢治の覚書』草野心平／講談社文芸文庫―現代日本のエッセイ（1991年）
＊『素顔の宮澤賢治』板谷栄城／平凡社（1994年）
＊『証言　宮澤賢治先生　イーハトーヴ農学校の1580日』佐藤成／農山漁村文化協会（1992年）
＊『宮沢賢治の音楽』佐藤泰平／筑摩書房（1995年）
＊『宮沢賢治の青春　〝ただ一人の友〟保阪嘉内をめぐって』菅原千恵子／角川書店（1997年）

＊『宮沢賢治・青春の秘唱　〝冬のスケッチ〟研究　〈増訂版〉』佐藤勝治／十字屋書店（１９８４年）
＊『愛の童話集』宮沢賢治　東逸子・画　堀尾青史・解説／童心社（１９８４年）
＊『もりおか文庫　宮澤賢治　愛のうた』澤口たまみ／盛岡出版コミュニティー（２０１０年）
＊『新版　宮澤賢治　愛のうた』澤口たまみ／夕書房（２０１８年）
＊『宮沢賢治　出会いの宇宙―賢治が出会い、心を通わせた16人―』佐藤竜一／コールサック社（２０１７年）
＊『イーハトーヴの植物学―花壇に秘められた宮沢賢治の生涯』伊藤光弥／洋々社（２００１年）
＊『図説　宮沢賢治』上田哲　関山房兵　大矢邦宣　池野正樹／河出書房新社（１９９６年）
＊『図説　平泉　浄土をめざしたみちのくの都』大矢邦宣／河出書房新社（２０１３年）
＊『天文学者が解説する　宮沢賢治『銀河鉄道の夜』と宇宙の旅』谷口義明／光文社新書（２０２０年）
＊『賢治歩行詩考　長編詩「小岩井農場」の原風景』岡澤敏男／未知谷（２００５年）
＊『宮沢賢治　鳥の世界』国松俊英　薮内正幸・画／小学館（１９９６年）
＊『賢治鳥類学』赤田秀子　杉浦嘉雄　中谷俊雄／新曜社（１９９８年）
＊『空の色と光の図鑑』斎藤文一　武田康男・写真／草思社（１９９５年）

＊『宮沢賢治　星の図誌』斎藤文一　藤井旭・写真／平凡社（１９８８年）
＊『宮澤賢治　宝石の図誌』板谷栄城／平凡社（１９９４年）
＊『天地有情　博文館版（名著復刻詩歌文学館）』土井晩翠／近代文学館（１９８０年）
＊『春と修羅　関根書店版（名著書初版本復刻珠玉選）』宮沢賢治／近代文学館（１９８５年）
＊『尾形亀之助全集』尾形亀之助／思潮社（１９７０年）
＊『地名の研究』柳田国男／講談社学術文庫（２０１９年）
＊『遠野物語　付・遠野物語拾遺』柳田国男／角川ソフィア文庫（２００２年）
＊『聴耳草紙』佐々木喜善／筑摩書房（１９７１年）
＊『わらべうた―日本の伝承童謡』町田嘉章　浅野建二・編／ワイド版岩波文庫（１９９３年）
＊『白堊校百年史通史』岩手県立盛岡第一高等学校校史編集委員会・編
岩手県立盛岡第一高等学校創立百周年記念事業推進委員会（１９８１年）
＊『氏家町史 史料編 近代の文化人』さくら市史編さん委員会／さくら市（２０１１年）
＊「『なめとこ山』の原風景―童話「なめとこ山の熊」の周辺―」牛崎敏也『北の文学』第20号
／岩手日報社（１９９０年）
＊「宮沢賢治の大正十一年―宮沢賢治と鳥羽源蔵の出会い―」近藤健史『研究紀要』第28号／日本大学
通信教育部（２０１５年）
＊「土壌肥料と宮沢賢治１―ペドロジスト、エダフォロジストとしての賢治―」井上克弘『日本土壌肥

料科学雑誌』第67巻第2号（1996年）
＊「土壌肥料と宮沢賢治2—関豊太郎と宮澤賢治—」亀井茂『日本土壌肥料科学雑誌』第67巻第2号（1996年）
＊「黒髪ながく瞳は茶色 賢治の恋人新発見」佐藤勝治『くりま』昭和56年新春号／文藝春秋（1981年）
＊「「銀河鉄道の夜」の水死と改稿—同人誌『アザリア』の交友の影響—」藤田なお子『ふらここ』河本緑石研究会機関誌第11号／河本緑石研究会（2019年）
＊『新コンサイス英和辞典』佐々木達・編／三省堂（1985年）
＊『エスペラント小辞典』三宅史平・編／大学書林（1965年）
＊『ツキノワグマのすべて 森と生きる。』小池伸介　澤井俊彦・写真／文一総合出版（2020年）
＊『山渓ハンディ図鑑　野に咲く花　増補改訂新版』平野隆久ほか／山と渓谷社（2013年）
＊『山渓ハンディ図鑑　山に咲く花　増補改訂新版』永田芳男ほか／山と渓谷社（2013年）
＊『山渓ハンディ図鑑　樹に咲く花　離弁花①』茂木透ほか／山と渓谷社（2000年）
＊『山渓ハンディ図鑑　樹に咲く花　離弁花②』茂木透ほか／山と渓谷社（2000年）
＊『山渓ハンディ図鑑　樹に咲く花　合弁花・単子葉・裸子植物』茂木透ほか／山と渓谷社（2001年）

澤口　たまみ

エッセイスト・絵本作家。1960年、盛岡市生まれ。1990年『虫のつぶやき聞こえたよ』（白水社）で日本エッセイストクラブ賞、2017年『わたしのこねこ』（絵・あずみ虫、福音館書店）で産経児童出版文化賞美術賞を受賞。主に福音館書店のかがく絵本のテキストを書き、宮澤賢治作品を読み解くことを続けている。エッセイに『新版　宮澤賢治　愛のうた』（夕書房）。賢治作品を即興による伴奏とともに朗読する「朗誦伴奏」の公演を行い、CDを自主制作している。紫波町在住。

宮澤賢治おはなし30選
クラムボンはかぷかぷわらったよ

2021年5月1日　第1刷発行

著　　者　澤口たまみ
発 行 者　東根千万億
発 行 所　岩手日報社
〒020-8622 岩手県盛岡市内丸3番7号
電話 019-601-4646（コンテンツ事業部　平日9〜17時）
オンラインショップ「岩手日報社の本」https://books.iwate-np.co.jp/
印刷・製本　株式会社杜陵印刷

ISBN978-4-87201-427-3 C0095　1200E